Cocina
natural

Recetas vegetarianas: Saludables y sabrosas

ERNESTINE FINLEY

Ilustraciones de la portada: tacos (p. 58), cacerola de berenjena
(p. 39), sopa de verduras (p. 64), y helado de frutas.
Fotos por: David Johns
Diseño de la tapa: Gerald Lee Monks
Diseño del interior: Steve Lanto

Puede obtener ejemplares adicionales llamando al 1-800-765-6955,
o por Internet en www.libreriaadventista.com.

ISBN 13: 978-0-8163-9227-8
ISBN 10: 0-8163-9227-7

Contenido

Prefacio

Bienvenido a la aventura de una *Cocina para un estilo de vida natural*. La razón por la que he escrito este libro y proporcionado las fotografías es para darte una variedad de ideas y recetas que te ayudarán a ser más saludable y feliz, y a tener una vida más larga y más productiva. Espero que disfrutes estas sabrosas y nutritivas recetas vegetarianas, tanto como lo hace nuestra familia.

La dieta que nuestro Creador eligió para cada uno de nosotros, se compone de frutas, frutos secos, granos y verduras. En el principio, Dios nos proveyó los alimentos de la naturaleza para brindarnos una salud óptima. Su plan dietético no puede ser mejorado. La buena nutrición exige enfocarse en una gran variedad de alimentos vegetarianos saludables y coloridos. Cuanta más variedad y color, mejor. La mejor fuente de los nutrientes que necesitamos es el alimento natural. Los alimentos en su estado natural, en la forma en que la naturaleza los proveyó, son nutricionalmente equilibrados, y los mejores para nuestra salud. Recientes investigaciones científicas revelan que la dieta vegetariana puede bajar las posibilidades de sufrir enfermedades asociadas al estilo de vida del siglo XXI, como cardiopatías, derrame cerebral y cáncer.

Esta es la razón por la que, como esposa y madre, he sido muy cuidadosa al alimentar a mi familia con alimento de la mejor calidad. Es una forma de cimentar la buena salud. Estoy convencida de que uno de los mejores regalos que podemos darle a nuestra familia en una buena comida. Cuando preparas estas recetas saludables, le estás dando a tu familia un maravilloso regalo cada día.

La mayor parte de las recetas del libro *Cocina para un estilo de vida natural* están preparadas para alimentar de cuatro a seis personas, dependiendo de la edad y del apetito de cada uno. Pero en el caso de las recetas de panes y postres, las cantidades de sus ingredientes fueron calculadas para servir a más personas. El pan y muchos postres pueden congelarse.

Notarás que al final de la mayoría de las recetas hay un análisis nutricional; sin embargo, hay muchos nutrientes que no están mencionados. Por lo tanto, además de los nutrientes mencionados en el análisis nutricional, las frutas, los frutos secos, los granos y las verduras usadas en estas recetas contienen grandes cantidades de vitaminas y minerales esenciales y demás elementos para una salud óptima. Aunque el análisis nutricional es importante, una dieta saludable incluye más que meros números. Los patrones de alimentación saludable son el resultado de la elección y administración de los tipos de alimentos que comemos. Conocer los valores nutricionales de los alimentos básicos es una ayuda para alimentar a nuestras familias con una dieta saludable. Utiliza el análisis nutricional como una guía para aprender algunas cualidades nutricionales de estas recetas.

Una dieta a base de frescas y abundantes verduras, frutas, frutos secos y semillas, granos y legumbres, presentadas de la manera más natural posible, es el cimiento de una buena salud. Espero que junto con tu familia, disfrutes de estas recetas, tanto como yo he disfrutado la preparación de *Cocina para un estilo de vida natural*, el que dedico especialmente a ti.

Ernestine Finley

Nota del editor: En muchas recetas, la autora utiliza ingredientes con marcas específicas. Muchos de estos ingredientes son productos que se comercializan únicamente en los Estados Unidos. Para facilitar la lectura y la preparación de las recetas, se colocó el nombre genérico del ingrediente y el nombre de la marca entre paréntesis.

Bebidas

Bebidas

Las bebidas pueden ser una importante fuente de vitaminas, minerales y antioxidantes. Sin embargo, no deberíamos dejar de ingerir diariamente suficiente cantidad de agua. El agua es vital para la salud. Aunque hay muchos factores que contribuyen a nuestro bienestar, el agua es uno de los más importantes. Es el elemento básico de la buena salud. En un sentido muy real, es el nutriente más importante del cuerpo humano. Es necesaria para cada función de la vida. El llamado líquido vital está involucrado directa o indirectamente en casi cada uno de los procesos del organismo, incluyendo la digestión, la absorción, la circulación y la eliminación. Como compuesto vital de la sangre, es el medio primordial de transporte de nutrientes y remoción de toxinas. Sin agua, no se realizaría ninguno de estos procesos.

En esta sección quiero animarte a ingerir más bebidas de frutas y verduras ricas en vitaminas y antioxidantes. De vez en cuando, puedes usar una de estas bebidas de frutas o verduras como una tercera comida. Incluyo fotografías de estos jugos naturales, y comparto los beneficios que aportan, como también los deliciosos licuados de frutas y los batidos de tofu.

Pero primero tomemos un momento para considerar la importancia y beneficio del agua en las páginas 82 y 83. Es la bebida más saludable, más económica y más benéfica de la creación. Dios nos creó dependientes del agua. Beber cantidades adecuadas de agua pura hará mucho para mejorar tu salud. No obstante, los jugos naturales de fruta están llenos de vitaminas y antioxidantes.

Los jugos y las otras bebidas naturales descritas en las páginas siguientes, pueden ser una gran forma de mejorar tu dieta, al proveerte los nutrientes necesarios. Estas bebidas pueden ser también una deliciosa forma de obtener más calorías, sin saciarte, si tienes un metabolismo rápido o eres muy delgado. Sin embargo, ten cuidado si tienes problemas de peso. El consumo excesivo de jugos y otras bebidas calóricas puede contribuir a la obesidad. Esta es la razón: Las bebidas te dan relativamente poca sensación de saciedad para la cantidad de calorías que proveen. Así que, cuando te sacias con estos alimentos, generalmente habrás consumido más calorías que si te hubieses alimentado con los ingredientes enteros. Disfruta de estas bebidas refrescantes y de sus cualidades rejuvenecedoras, pero úsalas con prudencia.

Jugos: Frutas deliciosas y nutritivas

El jugo es el líquido contenido en frutas y verduras que conserva muchos de los nutrientes que se encuentran en forma natural en las frutas o las verduras enteras. Los jugos se preparan al exprimir las frutas o las verduras sin usar calor ni solventes. Los jugos pueden ser preparados en el hogar a partir de frutas y verduras frescas, usando diversos extractores eléctricos. También hay muchos jugos saludables *ciento por ciento* de frutas disponibles en los almacenes locales y tiendas naturistas. Estos son algunos ejemplos:

✦ El jugo de pomelo es una excelente fuente de muchos nutrientes y fitoquímicos que contribuyen a la buena salud. El pomelo es una buena fuente de vitamina C y de fibra pectina; los tonos rosados y rojos contienen los beneficios de un antioxidante llamado licopeno.

✦ El jugo de uvas es rico en antioxidantes, como la antocianina, las flavonas, el geraniol, el linalol y los taninos. Los antioxidantes presentes en el jugo de uva pueden estimular el sistema inmunológico.

✦ El jugo de naranja es rico en vitamina C, ácido fólico y potasio, y es una excelente fuente de fitoquímicos antioxidantes. Un vaso de ocho onzas de jugo de naranja te brinda por lo menos el ciento por ciento de la ingestión diaria recomendada de vitamina C. Gladys Block, eminente doctora e investigadora, informa que quienes ingieren bajas cantidades de vitamina C (menos de 50 mg/día) parecen tener el doble de riesgo de contraer cáncer, comparado con quienes ingieren más de 100 mg/día de vitamina C.

Fuente: Block, G. "Vitamin C and Cancer Prevention: The Epidemiologic Evidence", *American Journal of Clinical Nutrition*. 1991; 53 (Suppl): 270S-282S.

Los jugos nutritivos combinados con fruta fresca son una excelente fuente de vitaminas y antioxidantes. Son fácilmente digeribles y nutritivos. Puedes combinar una variedad de jugos con fruta fresca en una sola bebida, de acuerdo a tu gusto. Esta receta es un ejemplo de estas deliciosas bebidas de fruta.

Jugo de banana y naranja

3 bananas grandes
3 tazas de jugo de piña sin azúcar
2 (12 onzas) latas de jugo de naranja congelado
1 (12 onzas) lata de limonada congelada

Licúa las bananas con el jugo de piña en una licuadora eléctrica. Transfiere al recipiente para servir. Agrega el jugo de naranja y la limonada, y la cantidad de agua requerida para reconstituir los jugos congelados.

Análisis nutricional (por porción: 1/27 receta): Calorías: 108; grasa total: 0.2 gr; grasa saturada: 0 gr; sodio: 3.2 mg; carbohidratos totales: 26.8 gr; fibra alimentaria: 0.72 gr; proteína 1.1 gr.

Jugo de naranja con fruta

2 tazas de jugo de naranja

1 banana

1 taza de mango congelado en cubos

1 taza de duraznos congelados en cubos

1 taza de piña congelada en cubos (opcional, o tu fruta de elección)

2 tazas de hielo (si no usas fruta congelada)

Licúa los ingredientes en una licuadora eléctrica. ¡Mezcla y disfruta!

Análisis nutricional (por porción: ¼ de la receta): Calorías: 144; grasa total: 0.6 gr; grasa saturada: 0.1 gr; sodio: 2.8 mg; carbohidratos totales: 35.6 gr; fibra alimentaria: 2.9 gr; proteína: 2 gr.

Licuado

1 taza de jugo de naranja

2 dátiles sin hueso

1 manzana

1 banana congelada

½ taza de durazno congelado

½ taza de mango congelado

½ taza de piña congelada

2 tazas de frutillas congeladas

Los licuados son bebidas espesas compuestas por fruta fresca o congelada mezclada con jugo.

Licúa el jugo de naranja, los dátiles y la manzana en una licuadora eléctrica. Agrega el resto de las frutas, y licúa hasta que esté suave.

Licuado de fruta y tofu: Agrega ¼ taza de almendras y 1 taza de tofu blando.

Nota: Se puede agregar cualquier variedad de fruta para cambiar el sabor del licuado.

Análisis nutricional (por porción: 1/2 receta): Calorías: 323; grasa total: 1.1 gr; grasa saturada: 0.2 gr; sodio: 13 mg; carbohidratos totales: 81.9 gr; fibra alimentaria 10.6 gr; proteína: 3.4 gr.

Batido de frutilla y almendras

El batido es una bebida que contiene leche, helado, fruta y saborizantes. Usamos leche de almendras y helado de soja en lugar de productos lácteos.

1 taza de 100 por ciento jugo de naranja

5 dátiles sin hueso

¼ taza de almendras

2 bananas congeladas

1 taza de leche de almendras

½ taza de tofu blando

2 tazas de frutillas congeladas

½ taza de helado de soja de vainilla

1 taza de cubos de hielo

Licúa el jugo de naranja, los dátiles y las almendras en una licuadora eléctrica. Agrega las bananas congeladas y licúa bien. Agrega el resto de los ingredientes y licúa hasta que esté suave.

Análisis nutricional (por porción: 1/4 receta): Calorías: 279; grasa total: 9.8 gr; grasa saturada: 1 gr; sodio: 86 mg; carbohidratos totales: 46.2 gr; fibra alimentaria: 6.2 gr; proteína: 5.8 gr.

Ponche de frutas

3 tazas de jugo frío de piña sin azúcar

3 tazas de jugo frío de manzana

2 plátanos

2 tazas de fresas parcialmente congeladas

½ taza de jugo concentrado de uva

2 tazas de agua mineral con gas

4 tazas de jugo de uva con gas

1 taza de fresas frescas picadas en rodajas

1 limón fresco, en rodajas

Combina los jugos de piña, naranja y manzana en un tazón de ponche. En una licuadora eléctrica, licúa los plátanos y las fresas con una taza del jugo que fue preparado anteriormente. Mezcla el licuado de fruta en el jugo de piña, manzana y naranja. Agrega el agua mineral y el jugo de uva con gas justo antes de servir. Decora con fresas y rodajas de limón.

Análisis nutricional (por porción: 1/26 receta) Calorías: 122; grasa total: 0.3 gr; grasa saturada: 0 gr; sodio: 7.7 mg; carbohidratos totales: 30.2 gr; fibra dietética: 0.9 gr; proteína: 0.7 gr.

BEBIDA VERDE: Comer una amplia variedad de verduras de colores proporciona vitaminas, minerales y fitonutrientes esenciales que necesitamos para tener buena salud. Los jugos de verduras son una fuente de nutrientes, y resultan beneficiosos como una tercera comida; sin embargo, recuerda que también necesitamos comer toda la verdura para obtener la fibra adecuada.

Indirecta: *Puedes comprar jugo de vegetales en tu tienda local de comestibles o tienda de alimentos saludables. Sin embargo, si estás haciendo tu propio jugo, el agregar zanahorias e incluso una manzana a tus vegetales verdes hace que tu bebida sea muy sabrosa.*

Panes

El pan: la esencia de la vida

✦ ¿Por qué tomarte el tiempo y la energía para hacer tu propio pan, cuando lo puedes comprar fácilmente en el supermercado de tu vecindario?

✦ ¿Cuáles son las ventajas de un buen pan casero? ¿El proceso de enriquecimiento de la harina blanca hace que el pan blanco sea tan nutritivo como el pan integral?

✦ ¿Qué se puede decir sobre el proceso de enriquecimiento?

Estas son buenas preguntas; exploremos las respuestas.

Vitaminas y minerales perdidos en la harina procesada

Vitamina o minerales	Porcentaje perdido
Vitamina B1 (tiamina)	86 por ciento
Vitamina B2 (riboflavina)	70 por ciento
Niacina	86 por ciento
Hierro	84 por ciento
Vitamina B6 (piridoxina)	60 por ciento
Ácido fólico	70 por ciento
Ácido pantoténico	54 por ciento
Biotina	90 por ciento
Calcio	50 por ciento
Fósforo	78 por ciento
Cobre	75 por ciento
Magnesio	72 por ciento
Manganeso	71 por ciento

Calculado de "Lesser Known Vitamins in Foods", *Journal of American Dietetic Association*, 38:240-243.

La harina blanca enriquecida tiene nutrientes específicos agregados para compensar la pérdida de los nutrientes naturales durante el proceso de refinado. De acuerdo con las pautas establecidas por la Administración de Alimentos y Drogas de los Estados Unidos (FDA), una libra (medio kilo) de harina enriquecida debe tener las cantidades de nutrientes especificadas a continuación para calificar como tal: 2.9 miligramos de tiamina, 1.8 miligramos de riboflavina, 24 miligramos de niacina, 0.7 miligramos de ácido fólico, y 20 miligramos de hierro. El calcio también puede agregarse en algunas harinas enriquecidas en un mínimo de 960 miligramos por libra. El enriquecimiento es necesario, porque en el proceso para obtener la harina blanca se destruye la mayoría de los nutrientes que originalmente estaban presentes en el grano entero.

Las harinas integrales contienen las tres partes del grano. El refinamiento generalmente remueve el salvado y el germen, y deja solo el endospermo. Sin el salvado y el germen, se pierde alrededor del 25 por ciento de la proteína del grano y otros 17 nutrientes clave. Se agrega un número limitado de vitaminas y minerales para enriquecer granos refinados. Aunque los productos refinados enriquecidos contienen algunos nutrientes valiosos, los granos enteros son mucho más saludables. Estos proveen más proteína, más fibra y muchas vitaminas y minerales adicionales. Los granos enteros son una fuente natural de proteínas y carbohidratos. Sus usos incluyen cereales, barras saludables, tortitas, y especialmente múltiples clases de pan.

Ventajas del pan integral casero

1. Los panes integrales caseros son una excelente fuente de fibra alimentaria. La fibra ayuda a prevenir los tres grandes asesinos del ser humano: la cardiopatía, el cáncer y el derrame cerebral.

2. Los panes integrales caseros son una excelente fuente de vitaminas B. Las vitaminas B ayudan a mantener saludable el sistema nervioso.

3. Los panes integrales caseros contienen las bondades naturales diseñadas por nuestro amante Creador. No pierden nutrientes a causa de los procesos de elaboración y, por lo tanto, tampoco se necesita enriquecerlos artificialmente.

4. Los panes integrales caseros están libres de muchos de los aditivos artificiales, conservantes químicos, y productos lácteos que a menudo están presentes en los panes adquiridos en el mercado. Cuando preparas tu propio pan, tú sabes qué tiene adentro; puedes comerlo con la seguridad de que solo contiene ingredientes de alta calidad.

5. Los panes integrales caseros son menos costosos que los panes del mercado. Economizarás.

6. Los panes integrales caseros tienen un sabor delicioso y una textura excelente.

7. El pan integral recién salido del horno tiene un aroma delicioso y agradable, que alegra la casa.

8. La elaboración del pan integral en la casa favorece la unión familiar. En nuestra acelerada sociedad, el arte de producir pan reúne a los integrantes de la familia en torno a un alimento esperado con expectación, porque es sano y delicioso.

Después de considerar las ventajas, desarrolla tus habilidades y aprende a hacer tu propio pan integral casero. Cuando produces tu propio pan seleccionas los ingredientes de mejor calidad. Y, en contra de la creencia popular, el proceso no es muy desafiante ni consume mucho tiempo. Puedes aprender a prepararlo, y lo disfrutarás junto con tu familia.

¡Experimenta!
Obtendrás excelentes resultados.

Pasos para hacer buen pan

Hacer pan casero es más fácil de lo que piensas. Puedes seguir el mismo método para preparar pan con diversos granos enteros. Te recomiendo estos pasos.

Cómo escoger la receta

Elige cualquiera de las recetas básicas y simples de este libro, y sigue el mismo método.

Cómo elegir la levadura

Tipos de levadura: Levadura deshidratada activa y levadura fresca.

Cómo trabajar la levadura

Factores que retardan la levadura: Agua muy caliente o muy fría. 110° F (45° C) es una buena temperatura.

Cómo mezclar los ingredientes

- Los ingredientes básicos del pan son: agua, sal, endulzante, aceites (los endulzantes y el aceite pueden ser reemplazados por otros ingredientes como puré de manzana), levadura y harina.

- Mezcla los ingredientes básicos: agua, endulzante, sal y aceite. Agrega diferentes tipos de harina para hacer diferentes tipos de panes.

- Agrega la levadura.

- Desarrolla el gluten de la harina integral en la masa mezclándola meticulosamente; luego agrega otros tipos de harinas.

- Si estás comenzando a hacer pan, será útil mezclar harina de soja o gluten con harina integral. Tu pan leudará más fácilmente.

- Ingredientes opcionales: pasas de uva, chabacanos o damascos, semillas de comino, y frutos secos. Deberían ser agregados a la parte líquida de la receta. Luego agrega suficiente harina para hacer que la masa quede suave y elástica. Agrega solo la cantidad de harina necesaria para que la masa sea fácil de manejar.

Amasando

- Los panes de textura fina y buen sabor son, en parte, el resultado de un amasado meticuloso, luego de que todos los ingredientes hayan sido mezclados. Sin embargo, no es necesario amasar durante mucho tiempo. Amasa hasta obtener una bola lisa y brillante.

- Toda la harina necesaria para impedir que la masa se pegue a tus manos debería ser agregada en el momento de amasar. Amasa hasta que tengas una bola lisa y esponjosa.

Consejo: *La cantidad de harina necesaria puede variar en altitudes diferentes. Agrega las últimas dos tazas de harina gradualmente. Si la masa se siente lisa y no se pega a tus manos sin haber utilizado toda la harina, sabrás que ya agregaste suficiente. Si en algunos casos necesitas un poco más de harina, agrégala.*

- Comienza a amasar doblando tus dedos sobre la masa; luego tira la masa hacia ti. Luego, empuja hacia abajo y hacia afuera con el borde de tu mano. Haz esto muchas veces hasta que obtengas una bola suave.

Deja que la masa leude

- Coloca la masa en un tazón aceitado. Cubre el tazón con un repasador, para prevenir que se forme una corteza.

- Deja que leude en un lugar tibio (no caliente) hasta que doble el tamaño (unos 90 minutos).

Cómo moldear la hogaza

- Aplasta, divide, y forma las hogazas.

- Colócala en un molde para pan, aceitado.

- La cantidad de masa depende del tamaño del molde.

- La hogaza va a tomar la forma del molde; no lo llenes mucho; si lo haces, la masa va a rebasar los bordes, y la corteza se va a quebrar.

Deja que la masa leude en el molde

- Deja que la masa leude durante 50 a 60 minutos antes de hornear.

- Cuando el pan alcanzó el doble de su tamaño original y llena el molde, está listo para ser horneado. La masa va a conservar la forma cuando se la presione ligeramente.

- La masa sobreleudada puede caer en el horno caliente; es mejor hornearla antes de que leude de más.

Hornea el pan

- Hornea a 350° F (175° C).

- Hornea hasta que esté completamente cocido, aproximadamente 30 a 40 minutos.

- La hogaza debería estar dorada por todos lados.

Enfríalo

- Saca el pan del molde y déjalo sobre una rejilla sin cubrir.

- Enfríalo bien antes de empacarlo.

Almacénalo

- El pan casero se mantendrá fresco durante una semana, aproximadamente, en temperatura ambiente.

- El pan se puede congelar sin dificultad.

Pan de chabacano (damasco)

½ taza de agua tibia

3 cdas. de levadura deshidratada activa

3 tazas de agua caliente

3 cdas. de miel

3 cdas. de melaza

1 cda. de sal

3 cdas. de aceite de oliva ligero (*light*)

1 ½ taza de chabacanos (damascos)
cortados en cubos

1 taza de harina de avena

½ taza de germen de trigo

½ taza de harina de soja

½ taza de harina de gluten

3 tazas de harina de trigo integral

1 ½ tazas de harina blanca

Disuelve la levadura en 1/2 taza de agua tibia. Mezcla el agua, la miel, la melaza, la sal y el aceite. Incorpora los damascos deshidratados, la harina de avena, el germen de trigo, la harina de soja y la harina de gluten. Agrega dos tazas de harina de trigo integral para formar la masa. Agrega la levadura. Agrega el resto de la harina gradualmente, hasta lograr una masa moderadamente firme. Coloca la masa sobre una superficie ligeramente enharinada. Amasa hasta que esté suave y brillante. Dale forma de bola. Colócala en un tazón ligeramente engrasado. Cúbrela y deja que leude en un lugar tibio, hasta que doble su tamaño (unos 90 minutos). Aplástala. Corta en dos partes (para hogazas más pequeñas, divídela en tres partes). Forma bolas lisas. Dale forma de hogaza. Deja que leude en moldes para pan, aceitados, hasta que doble su tamaño (unos 60 minutos). Hornea a 350° F (1750 C) durante 30 a 35 minutos.

Análisis nutricional (por porción: 1 rodaja – 1/40 receta): Calorías: 114; grasa total: 1.7 gr; grasa saturada: 0.2 gr; sodio: 172.8 mg; carbohidratos totales: 21 gr; fibra alimentaria: 2.4 gr; proteína: 4.3 gr.

Pan de trigo

¼ taza de agua tibia
2 cdas. de levadura deshidratada activa
2 ½ tazas de agua caliente
½ taza de miel o azúcar rubio
1 cda. de sal
¼ taza de aceite de oliva *light*
1 taza de germen de trigo
4 tazas de harina de trigo integral
2 ½ a 3 tazas de harina blanca

Disuelve la levadura en agua tibia. Mezcla el agua caliente, la miel, la sal y el aceite de oliva en otro tazón. Incorpora el germen de trigo. Agrega la harina de trigo integral para lograr una masa moderadamente firme. Agrega la mezcla de levadura. Agrega el resto de la harina gradualmente. Coloca la masa sobre una superficie ligeramente enharinada. Amasa hasta que esté suave y lustrosa. Dale forma de bola a la masa. Colócala en un tazón ligeramente engrasado. Cúbrela y deja que leude en un lugar tibio hasta que doble su tamaño (unos 90 minutos). Aplástala. Córtala en dos partes (para hogazas más pequeñas, divídela en tres partes). Forma bolas lisas. Dale forma de hogaza. Deja que leude en moldes para pan aceitados hasta que doble su tamaño (unos 60 minutos). Hornea a 350° F (175° C) durante 30 a 35 minutos.

Análisis nutricional (por porción: 1 rodaja – 1/40 receta): Calorías: 117; grasa total: 2.2 gr; grasa saturada: 0.3 gr; sodio: 170.4 mg; carbohidratos totales: 22.2 gr; fibra alimentaria: 2.1 gr; proteína: 2.7 gr.

Pan de trigo integral

½ taza de agua tibia
2 paquetes o 2 cdas. de levadura deshidratada activa
2 ¼ tazas de agua caliente
½ taza de miel
1 cda. de sal
¼ taza de aceite de oliva *light*
1 taza de germen de trigo
¾ taza de harina de gluten
6 tazas de harina de trigo integral

Disuelve la levadura en ½ taza de agua tibia. Mezcla el agua caliente, la miel, la sal y el aceite de oliva en otro tazón. Incorpora el germen de trigo. Agrega la harina de gluten. Agrega tres tazas de harina de trigo integral para lograr una masa moderadamente firme. Agrega la mezcla de levadura a la masa. Agrega el resto de la harina gradualmente. Coloca la masa sobre una superficie ligeramente enharinada. Amasa hasta que esté suave y lustrosa. Forma una bola con la masa. Colócala en un tazón ligeramente engrasado. Cúbrela y deja que leude en un lugar tibio, hasta que doble su tamaño (unos 90 minutos). Aplástala. Córtala en dos partes (para hogazas más pequeñas, divídela en tres partes). Forma bolas lisas. Dales forma de hogaza. Deja que leude en moldes para pan aceitados hasta que doblen su tamaño (como una hora). Hornea a 350° F (175° C) durante 30 a 35 minutos.

Análisis nutricional (por porción: 1 rodaja – 1/40 receta): Calorías: 123; grasa total: 2.2 gr; grasa saturada: 0.3 gr; sodio: 170.3 mg; carbohidratos totales: 21.7 gr; fibra alimentaria: 2.6 gr; proteína: 5 gr.

Rosca danesa dulce

¼ taza de agua tibia

2 cdas. de levadura deshidratada activa

2 ½ tazas de agua caliente

½ taza de azúcar rubio

1 cda. de sal

¼ taza de aceite de oliva *light*

1 taza de harina de avena

½ taza de germen de trigo

1 taza de harina de trigo integral

6 tazas de harina blanca

Relleno para la rosca danesa dulce

2 cdas. de margarina (*Earth Balance*)

2 cdas. de azúcar rubio

½ taza de pasas de uva

½ taza de nueces

Nota: *Esta receta da para dos roscas danesas dulces. Necesitarás una receta de relleno para cada rosca.*

Disuelve la levadura en el agua tibia. Mezcla el agua caliente, el azúcar rubio, la sal y el aceite de oliva en un segundo tazón. Incorpora la harina de avena, el germen de trigo y la harina de trigo integral. Agrega dos tazas de harina blanca para lograr una masa moderadamente firme. Agrega la mezcla de levadura. Agrega la harina restante gradualmente. Coloca la masa en una superficie ligeramente enharinada. Amasa hasta que esté suave y brillante. Dale forma de bola a la masa. Colócala en un tazón ligeramente engrasado. Cubre y deja leudar en un lugar tibio hasta que tenga el doble de tamaño (unos 90 minutos). Aplasta la masa. Divídela en dos y estírala con un rodillo. Unta la masa con las dos cucharadas de margarina derretida. Agrega las dos cucharadas de azúcar rubio. Esparce las pasas de uva y las nueces sobre la masa. Enrolla la masa formando un rollo largo. Dale forma de anillo. Coloca en una tartera. Corta casi hasta el centro en intervalos de 1 pulgada. Cubre y deja que leude durante unos 50 minutos. Hornea a 350° F (175° C) durante 30 minutos.

Para ocasiones especiales se puede rociar con un glaseado de azúcar impalpable orgánico.

Análisis nutricional (por porción: 1 rodaja – 1/30 receta): Calorías: 208; grasa total: 6.7 gr; grasa saturada: 1.1 gr; sodio: 245.5 mg; carbohidratos totales: 34.1 gr; fibra alimentaria: 1.9 gr; proteína: 2.3 gr.

Panecillo de papa

½ taza de agua tibia

2 cdas. de levadura deshidratada activa

2 tazas de agua caliente

2 tazas de puré de papas

3 cdas. de miel

1 cda. de sal

2 cdas. de aceite de oliva

½ taza de germen de trigo

¼ taza de harina de soja o harina de cebada

3 tazas de harina de trigo integral

2 ½ tazas de harina blanca

Disuelve la levadura en ½ taza de agua tibia. Mezcla el agua caliente, el puré de papas, la miel, la sal y el aceite. Agrega el germen de trigo, la harina de soja y la harina de trigo integral. Incorpora la levadura. Agrega el resto de la harina para lograr una masa moderadamente firme. Colócala sobre una superficie ligeramente enharinada. Amasa hasta que esté suave y brillante. Dale forma de bola. Colócala en un tazón ligeramente engrasado. Cúbrela y deja que leude en un lugar tibio, hasta que doble su tamaño (unos 90 minutos). Aplasta la masa. Dale forma de panecillos. Deja que leuden hasta que doblen su tamaño (unos 40 minutos). Hornea a 350° F (175° C) durante 30 a 35 minutos.

Análisis nutricional (por porción: 1 panecillo – 1/24 receta): Calorías: 154; grasa total: 2.1 gr; grasa saturada: 0.2 gr; sodio: 284.4 mg; carbohidratos totales: 29.4 gr; fibra alimentaria: 3 gr; proteína: 5.2 gr.

Galletas de avena

3 tazas de avena instantánea

2 tazas de harina blanca

1 taza de germen de trigo

3 cda. de azúcar rubio

½ cdta. de sal

¾ taza de aceite de oliva

1 taza de agua

Mezcla todos los ingredientes. Estira la masa hasta que quede finita, sobre dos placas para horno sin bordes. Corta en la forma deseada. Espolvorea sal. Hornea a 325° F (165° C) durante unos 30 minutos.

Análisis nutricional (por porción: 1 galleta – 1/70 receta): Calorías: 54; grasa total: 2.8 gr; grasa saturada: 0.4 gr; sodio: 14.1 mg; carbohidratos totales: 6.5 gr; fibra alimentaria: 0.7 gr; proteína: 1.2 gr.

Pan de maíz

1 taza de harina de maíz

¾ taza de harina blanca

2 cdas. de germen de trigo

3 cdtas. de polvo para hornear (*Rumford*)

¾ cdta. de sal

3 cdtas. de sustituto de huevo (*Ener-G Egg Replacer*) mezclado con 2 cdas. de agua

1 taza de leche de soja

¼ taza de margarina (*Earth Balance*), derretida o aceite de oliva

¼ taza de miel

Mezcla todos los ingredientes secos. Agrega el sustituto de huevo. Mezcla la leche de soja, la margarina y la miel en un tazón separado. Agrega la mezcla de leche de soja a la mezcla de harina de maíz. Bate hasta que la masa esté suave. Vierte la masa en un molde para horno de 8 x 8 pulgadas. Hornea a 400° F (200° C) durante 20 a 25 minutos hasta que los bordes estén dorados.

Análisis nutricional (por porción: 1 rodaja – 1/9 receta): Calorías: 169; grasa total: 5.8 gr; grasa saturada: 1.9 gr; sodio: 375 mg; carbohidratos totales: 28.3 gr; fibra alimentaria: 1.4 gr; proteína: 2.3 gr.

Pan de arándano rojo y frutos secos

½ taza de harina de trigo integral para pastelería

1 ½ taza de harina blanca

2 cdtas. de polvo de hornear (*Rumford*)

1 cdta. de sal

2 cdtas. de sustituto de huevo (*Ener-G Egg Replacer* mezclado con 2 cdas. de agua

1 cdta. de cáscara de naranja rallada

1 taza de jugo de naranja

1 cda. de aceite de oliva

½ taza de miel

1 taza de arándanos rojos frescos picados

¾ taza de nueces picadas

Mezcla las harinas, el polvo de hornear y la sal. Agrega el sustituto de huevo y la cáscara de naranja. Mezcla el jugo de naranja, el aceite y la miel. Agrégaselos a los ingredientes secos. Incorpora los arándanos rojos y las nueces. Vierte dentro de un molde para pan. Hornea a 350° F (175° C) durante una hora.

Análisis nutricional (por porción: 1 rodaja – 1/12 receta): Calorías: 212; grasa total: 6.2 gr; grasa saturada: 0.6 gr; sodio: 2.3 mg; carbohidratos totales: 38 gr; fibra alimentaria: 2.1 gr; proteína: 3.5 gr.

Desayuno

El desayuno

El desayuno es la comida más importante del día. Pone fin al ayuno de la noche y nos prepara para encarar el día con energía y fuerza. Debido a que idealmente no hemos comido durante doce o más horas, nuestros cuerpos están listos para la comida de la mañana. Un desayuno saludable y nutritivo nos da la energía para comenzar el nuevo día y está asociado a muchos beneficios.

Desayunar es importante para todos, pero es especialmente importante para los niños y adolescentes. De acuerdo con la Asociación Dietética Estadounidense, los niños que desayunan se desempeñan mejor en el aula y en el patio de recreo que los niños que saltean el desayuno, con mejor concentración, habilidad para resolver problemas y coordinación ojo-mano. Ensayos clínicos en niños que desayunan en forma saludable muestran que estos superan a sus compañeros que no desayunan con mejores notas y mayores períodos de atención.

Un desayuno nutritivo está asociado a numerosos beneficios físicos y mentales también para los adultos. Estudios científicos recientes han revelado que las personas cuyo desayuno incluye frutas, frutos secos, cereales de grano entero y pan viven más, tienen índices reducidos de cardiopatías y cáncer, se desempeñan mejor en el trabajo, y controlan su peso de una mejor manera, que las personas que saltean el desayuno.

¿Qué es la fibra?

La fibra alimentaria, a veces llamada fibra dietética, es la porción no digerible de los alimentos vegetales. Tiene dos componentes principales:

✦ **Fibra soluble** que es fácilmente fermentada en el colon y forma gases y subproductos fisiológicamente activos, y

✦ **Fibra insoluble** que es metabólicamente inerte, absorbe agua mientras se mueve a través del sistema digestivo, y facilita el último acto de la digestión a través del tracto digestivo.

¿Por qué es importante la fibra?

Recientemente, los nutricionistas han descubierto la importancia de la fibra alimentaria. La Clínica Mayo sugiere que los individuos necesitan aproximadamente entre 25 y 40 gramos de fibra alimentaria cada día. Puede ser que no sepamos cuantos gramos de fibra estamos obteniendo con nuestra dieta, pero eso no es un problema. Cuando nos alimentamos con una dieta saludable rica en granos integrales, frutas, verduras, frutos secos, y legumbres, obtenemos toda la fibra que necesitamos.

¿Por qué tomar un desayuno abundante?

1. Para suministrar energía al cuerpo para las actividades del día.

2. Para ayudar al sistema digestivo.

3. Para evitar la constipación. Los granos integrales integrales son vitales para esto.

4. Para mejorar la concentración y tener un mejor desempeño en el trabajo o en el aula.

5. Para suministrar vitaminas y minerales esenciales que posibiliten al cuerpo funcionar con un máximo nivel de energía durante toda la mañana.

6. Para reducir el típico cansancio de media mañana.

7. Para proporcionar suficiente fibra a la dieta.

Lista de contenido de fibra en granos, legumbres, frutos secos y semillas, y verduras seleccionadas*

Frutas	Tamaño de la porción	Fibra total (gr)	Legumbres	Tamaño de la porción	Fibra total (gr)
Manzana (con cáscara)	1 mediana	4.4	Frijoles en salsa de tomate	1 taza (cocido)	10.4
Banana	1 mediana	3.1	Frijol negro	1 taza (cocido)	15
Naranja	1 mediana	3.1	Lentejas	1 taza (cocido)	15.6
Pasas de uva	¼ taza	2			
Frambuesa	1 taza	8	Frijol de lima	1 taza (cocido)	13.2
Fresas	1 ¼ taza	3.8	Arvejas partidas	1 taza (cocido)	16.3
Granos			**Frutos secos y semillas**		
Cebada perlada	1 taza (cocido)	6	Almendras	1 onza (23 unidades)	3.5
Pan, centeno	1 rodaja	1.9	Nueces pacanas	1 onza (19 mitades)	2.7
Arroz integral	1 taza (cocido)	3.5	Pistachos	1 onza (49 unidades)	2.9
Avena, instantánea o regular	1 taza (cocido)	4	Semillas de girasol	¼ taza	3.9
Spaghetti integral	1 taza (cocido)	6.2	**Verduras**		
			Brócoli	1 taza (cocido)	5.1
			Repollitos de Bruselas	1 taza (cocido)	4.1
			Zanahoria cruda	1 mediana	1.7
			Arvejas	1 taza (cocido)	8.8
			Papas con cáscara	1 mediana (asada)	2.9
			Maíz dulce	1 taza (cocido)	4.2
			Hojas de nabo	1 taza (cocido)	5

De acuerdo con la página electrónica de la Escuela de Salud Pública de Harvard, el consumo de cantidades suficientes de fibra puede reducir el riesgo de diabetes, cardiopatías, diverticulitis y constipación. La misma fuente da los siguientes consejos para aumentar la fibra en la dieta.

DESAYUNO

Consejos para la elección de una dieta alta en fibras*†

1. **Come pan integral.** Come pan integral en vez de pan de harina blanca refinada. Las recetas de *Cocina para un estilo de vida natural* están llenas de fibra. Los granos integrales contienen todo el grano: el salvado, el germen, y el endospermo. Algunos ejemplos de granos enteros incluyen harina de trigo integral, avena, harina de maíz entero, arroz integral, y trigo burgol. Cuando compras pan hecho en fábrica, busca en la etiqueta si contiene granos enteros llenos de fibra. Elige alimentos que enumeren granos enteros (como trigo 100 por ciento integral o avena entera) como primer ingrediente. Los panes, cereales, galletas saladas, y otros alimentos con granos deberían tener por lo menos tres gramos de fibra por porción.

2. **Come la fruta entera.** Aunque los jugos exprimidos proporcionan muchas vitaminas rápidamente, es importante comer la fruta entera. Las manzanas y naranjas enteras tienen mucha más fibra y menos calorías que sus equivalentes líquidos.

3. **Come 4 o 5 porciones de fruta diariamente.** Empieza bien tu día agregando fruta, como bayas y melón, a tu desayuno. Más tarde, puedes comer una manzana o una pera llena de fibra.

4. **Come más legumbres.** Es fácil olvidarse de las legumbres, pero estas tienen muy buen sabor, son una fuente económica de fibra y son una excelente fuente de proteína y otros nutrientes importantes. Media taza de varios tipos de legumbres contiene de 5 a 10 gramos de fibra.

5. **Prueba nuevas recetas.** Prueba las recetas del libro *Cocina para un estilo de vida natural* pues muchas son altas en fibras.

---

* "High-fiber Foods." http://www.mayoclinic.com/health/high-fiber-foods/NU00582
† Adaptado de Harvard School of Public Health´s Web site: "The Nutrition Source: Fiber" http://hsph.harvard.edu/nutritionsource/what-you-should-eat/fiber/

Avena horneada

4 tazas de agua hirviendo
1 cdta. de sal
3 tazas de avena instantánea
½ taza de coco
¼ taza de dátiles picados
2 cdas. de aceite de oliva *light* (opcional)

Llevar el agua y la sal a punto de ebullición
(si usas aceite de oliva, agrégaselo al agua y la sal).
Mezcla los ingredientes restantes en otro tazón.
Agrega el agua hirviendo, toda al mismo tiempo.
Hornea en una fuente poco profunda a 375° F
(195° C) durante 40 minutos.

Análisis nutricional (por porción: 1/9 receta): Calorías: 197; grasa total: 10.2 gr; grasa saturada: 7.5 gr; sodio: 215.8 mg; carbohidratos totales: 24.7 gr; fibra alimentaria: 5.1 gr; proteína: 4.3 gr.

Avena favorita de los Finley

3 tazas de agua
¾ cdta. de sal
8 dátiles sin hueso
1 ½ tazas de avena instantánea

Llevar el agua, la sal, y los higos a punto
de ebullición. Agrega la avena. Baja la
temperatura y cocina durante dos minutos.

Análisis nutricional (por porción: 1/4 receta): Calorías: 178; grasa total: 3.1gr; grasa saturada: 0.8 gr; sodio: 4.6 mg; carbohidratos totales: 36.4 gr; fibra alimentaria: 6.8 gr; proteína: 4.8 gr.

Granola

7 tazas de avena instantánea

1 taza de germen de trigo

1 taza de coco en tiras

1 taza de nueces o nueces pacanas picadas,
   o almendras en láminas

1 ½ cdta. de sal

½ taza de aceite de oliva *light*

½ taza de agua tibia

½ taza de miel

1 cdta. de vainilla

Mezcla todos los ingredientes secos en un tazón grande. Combina y emulsiona los ingredientes líquidos en otro tazón y agrégaselos a los ingredientes secos. Mezcla bien. Transfiere a una fuente poco profunda. Hornea a 170° F (75° C) durante ocho horas. Sirve con fruta y leche de soja.

Hornea la granola durante la noche y te despertarás con el grato aroma de la granola casera.

Análisis nutricional (por porción: 1/20 receta): Calorías: 325; grasa total: 19.4 gr; grasa saturada: 8.1 gr; sodio: 146.6 mg; carbohidratos totales: 35.9 gr; fibra alimentaria: 5.8 gr; proteína: 6.5 gr.

Panqueques de arándano

2 tazas de avena instantánea
¼ taza de semillas de lino molidas
¾ taza de harina de trigo integral
¼ taza de germen de trigo
¾ cdta. de sal
1 cdta. de polvo de hornear (*Rumford*)
3 tazas de leche de soja
2 cdas. de miel
1 ½ tazas de arándanos

Mezcla todos los ingredientes secos. Agrega la leche de soja, la miel, y los arándanos. Coloca ⅓ taza de la mezcla para panqueques sobre una sartén para panqueques aceitada y cocina hasta que estén dorados. Voltea y cocina del otro lado. Sirve.

Análisis nutricional (por porción: 1 panqueque – 1/24 receta): Calorías: 74; grasa total: 1.6 gr; grasa saturada: 0.2 gr; sodio: 91.1 mg; carbohidratos totales: 13.2 gr; fibra alimentaria: 2 gr; proteína: 2.5 gr.

Panqueques de avena

1 ½ tazas de avena instantánea
1 taza de harina de trigo integral
½ taza de harina blanca
2 cdtas. de polvo de hornear
  (*Rumford*)
1 cdta. de sal
2 cdas. de miel
2 ½ tazas de leche de soja
1 cda. de aceite de oliva *light*

Mezcla los ingredientes secos. Agrega la miel, la leche de soja, y el aceite. Vierte ¼ taza de la mezcla sobre una plancha caliente y ligeramente aceitada.

Análisis nutricional (por porción: 1 panqueque – 1/22 receta): Calorías: 13; grasa total: 1.5 gr; grasa saturada: 0.2 gr; sodio: 137.6 mg; carbohidratos totales: 13.5 gr; fibra alimentaria: 1.3 gr; proteína: 2.1 gr.

Tostadas de puré de manzanas

2 rodajas de pan de trigo integral
2 cdas. de manteca de maní o manteca de almendras
1 ½ tazas de puré de manzana
1 banana, en rodajas
½ taza de frutillas en rodajas
¼ taza de nueces picadas

Agrega la cantidad de fruta que desees.

Tuesta el pan. Unta las tostadas con manteca de maní. Calienta el puré de manzana y viértelo sobre las tostadas. Agrega la banana en rodajas y las frutillas frescas en rodajas. Espolvorea las nueces picadas.

Nota: *Normalmente esta receta sirve para una persona. Multiplica esta receta de acuerdo al número de personas que estás sirviendo.*

Análisis nutricional (por porción: 1/2 receta): Calorías: 522; grasa total: 26.9 gr; grasa saturada: 4.5 gr; sodio: 218.6 mg: carbohidratos totales: 62 gr; fibra alimentaria: 10.6 gr; proteína: 15.2 gr.

Tostadas de fruta

Tostadas de trigo integral
2 (15 onzas) latas de duraznos en 100 por ciento jugo de fruta
2 duraznos frescos, pelados y en rodajas
½ taza de jugo de naranja
2 cdas. de almidón de maíz en 2 cdas. de agua

Lleva a hervor los duraznos enlatados, los duraznos frescos, y el jugo. Agrega la mezcla de almidón de maíz a la fruta. Baja la temperatura y revuelve hasta que espese y aclare. Sirve sobre tostadas de trigo entero.

Nota: *En lugar de duraznos puedes utilizar varias clases de fruta. Dependiendo de que fruta utilices, puedes sustituir el jugo de naranja con jugo de uva blanca, jugo de piña, o jugo de manzana.*

Arroz y fruta

2 tazas de arroz integral cocido frío

2 tazas de frutillas

2 tazas de fruta picada (duraznos,
   mangos o cóctel de fruta en jugo de fruta)

2 bananas

½ taza de nueces picadas

3 tazas de yogur de soja o crema de soja

Crema de soja:

1 taza de leche de soja

¼ taza de arroz integral cocido

1 cda. de vainilla

½ taza de frutillas

¼ taza de aceite

Mezcla las dos tazas de arroz integral, las dos tazas de fresas, la fruta picada, las bananas, los frutos secos y el yogur.

Crema de soja: Licúa los primeros cuatro ingredientes. Agrega el aceite lentamente. Vierte sobre la mezcla de arroz y fruta. Enfría y decora con cualquier tipo de fruta.

Análisis nutricional (por porción: 1/12 receta): Calorías: 185; grasa total: 10.8 gr; grasa saturada: 0.9 gr; sodio: 15.8 mg; carbohidratos totales: 21.6 gr; fibra alimentaria: 2.6 gr; proteína: 2.6 gr.

Frijoles para el desayuno

1 libra de frijoles blancos (*Great Northern*)

6 tazas de agua

1 cebolla mediana, picada

2 cdas. de aceite de oliva *light*

1 ½ cdta. de sal

Selecciona y lava los frijoles. Agrega el agua a los frijoles y llévalos a punto de ebullición. Hierve durante dos minutos. Retira la olla del calor. Déjalos descansar, cubiertos, durante 60 minutos. Agrega la cebolla y el aceite. Llévalos a punto de ebullición y continúa cocinándolos a temperatura baja hasta que estén casi cocidos, aproximadamente otra hora. Agrega la sal y termina de cocinar. Cocina a baja temperatura hasta que los frijoles estén muy tiernos. Sirve sobre tostadas de trigo integral.

Análisis nutricional (por porción: 1/12 receta): Calorías: 128; grasa total: 2.7 gr; grasa saturada: 0.4 gr; sodio: 242 mg; carbohidratos totales: 20.1 gr; fibra alimentaria: 6.3 gr; proteína: 6.8 gr.

Tofu revuelto

1 paquete de tofu extra firme

1 cebolla, picada

1 o 2 dientes de ajo

½ taza de pimientos verdes picados (opcional)

Aceite de oliva

½ cdta. de ajo en polvo

½ cdta. de cebolla en polvo

1 ½ cdta. de condimento de pollo (*McKay's*)

Sal a gusto

1 cda. de cebolleta o perejil deshidratado

¾ cdta. de cúrcuma

1 cda. de proteína líquida (*Bragg Liquid Aminos*) o salsa de soja

1 ½ cdta. de levadura nutricional

½ taza de tomates frescos (opcional)

Escurre el tofu y desmenúzalo. Saltea la cebolla, el ajo, y los pimientos verdes en un poco de aceite de oliva. Mezcla las verduras y los condimentos con el tofu. Cocina a temperatura media en aceite de oliva.

Análisis nutricional (por porción: 1/4 receta):
Calorías: 181; grasa total: 12.2 gr; grasa saturada: 1.7 gr; sodio: 456.8 mg; carbohidratos totales: 8.4 gr; fibra alimentaria: 1.7 gr; proteína: 11.54 gr.

Plato principal

Una dieta vegetariana

¡La evidencia está creciendo! Las cardiopatías, la primera causa de muerte entre los estadounidenses, pueden, en gran medida, ser prevenidas, y la dieta es un factor significativo en reducir el riesgo de muerte por ataque al corazón. Desde 1980, los investigadores han vinculado una dieta pobre a un colesterol elevado, y un colesterol elevado a las cardiopatías.

Los estudios médicos han evaluado el consumo de grasas de una nación en relación con el riesgo de sus habitantes a morir de ataque al corazón. Los resultados son similares en todo el mundo. Esta similitud, a pesar de las diferencias culturales, variantes genéticas y cambios en el ambiente es, en verdad, excepcional. El principio simple es este: Si una nación tiene una dieta alta en grasas saturadas, también tiene una tasa extremadamente alta de enfermedad coronaria. A medida que el conocimiento de esta correlación se extiende, más y más personas están eligiendo una dieta vegetariana. El interés creciente en una dieta exclusivamente vegetariana está demostrado por la cantidad de libros vegetarianos y veganos disponibles, y también, por el creciente número de recetas vegetarianas en los sitios electrónicos.

¿Puede una dieta vegetariana proporcionar una adecuada nutrición?

De acuerdo a la Academia Nacional de Ciencias, el Consejo Nacional de Investigación, que publica las Ingestas Diarias Recomendadas de Alimentos en Estados Unidos, "todas, excepto las dietas vegetarianas más restrictivas, son nutricionalmente seguras. La salvaguarda más importante para el consumidor vegetariano medio es tener una

dieta muy variada". Mientras los vegetarianos coman una amplia variedad de frutas, frutos secos, granos y verduras, obtendrán todos los nutrientes necesarios para la buena nutrición, con una excepción, la vitamina B12. A pesar de que muchos vegetarianos nunca tienen problemas de deficiencia de vitamina B12, hay otros que sí los tienen. Por esta razón, la mayoría de los expertos en nutrición recomienda a todos los vegetarianos tomar un suplemento diario de vitamina B12 para asegurarse la ingesta de dicha vitamina.

Cuando piensas en preparar la comida principal del día, ¿en qué piensas? La mayoría de la gente basa sus comidas principales alrededor de la carne. Cuando un niño pregunta: "Mamá, ¿qué hay para cenar?", a menudo, la respuesta es algo así: "Vamos a comer hamburguesas/ pan de carne/cordero/bife". Los otros alimentos del menú no son mencionados. La carne se ha convertido en el plato principal de elección. Aunque la carne contiene proteína de calidad, su consumo regular puede tener consecuencias serias sobre la salud. Muchos estudios científicos vinculan el consumo de carne con un mayor riesgo de cardio-patías, derrame cerebral, ciertos tipos de cáncer, y una expectativa de vida reducida.

Muchos de estos mismos estudios elogian los beneficios para la salud de una dieta vegetariana. En contra de la opinión popular, una dieta vegetariana provee suficiente proteína de calidad. Un creciente número de personas está tomando la sabia decisión de limitar su consumo de carne. Muchos más se están volviendo totalmente vegetarianos. Porque deseamos presentarte la mejor dieta posible, el libro *Cocina para un estilo de vida natural* presenta exclusivamente una dieta basada en alimentos vegetales.

La proteína es uno de los nutrientes que parecen ser de mucha importancia para mucha gente hoy. Así que contestemos algunas preguntas.

¿Qué son las proteínas?

Las proteínas están compuestas por cadenas de aminoácidos. Los aminoácidos que no pueden ser formados por el cuerpo son llamados aminoácidos esenciales. Estos amino-ácidos esenciales deben estar presentes en nuestra comida. Las proteínas vegetales no carecen de aminoácidos esenciales. Cuando comemos alimentos vegetales, las proteínas de las plantas son reensambladas por nuestro sistema digestivo en los diferentes aminoácidos. Estos aminoácidos son absorbidos en la corriente sanguínea y luego son utilizados para crear todas las proteínas necesarias para construir y reparar los tejidos del organismo.

Estudios recientes han demostrado que hay beneficios significativos en el consumo de proteínas vegetales. Las proteínas vegetales, en realidad, bajan los niveles de colesterol, mientras que las proteínas animales aumentan el colesterol en la sangre.

¿Cuál es la ingesta diaria recomendada de proteína?

La ingesta diaria recomendada de proteína en mujeres es de aproximadamente 46 gramos. Los hombres necesitan unos 56 gramos. Los niños requieren entre 13 y 34 gramos de proteína, aunque los requerimientos varían con la edad y el peso corporal. Pero si comemos una amplia variedad de frutas, frutos secos, granos, verduras y legumbres, y calorías suficientes, obtendremos cantidades adecuadas de proteína.

¿Qué alimentos vegetales son una buena fuente de proteínas?

Granos enteros-trigo entero, cebada, centeno, avena, arroz, mijo, maíz, etc. incluyendo productos de gluten hechos con harina de gluten.

Legumbres-frijoles, lentejas, arvejas, garbanzos, soja/productos de soja.

Frutos secos-almendras, nueces, nueces pacanas, castañas de cajú y otros frutos secos.

Una dieta vegetariana sabiamente elegida tiene por lo menos ocho beneficios:

1. Reduce el colesterol en la sangre.
2. Baja ciertas causas de alta presión arterial.
3. Disminuye el riesgo de cardiopatías.
4. Reduce el riesgo de ciertos tipos de cáncer.
5. Disminuye el riesgo de osteoporosis.
6. Alivia los síntomas de la diabetes.
7. Aumenta la energía y la resistencia.
8. Aumenta la expectativa de vida.

La dieta vegetariana total no es nueva. Se remonta al Jardín del Edén. Es la dieta original de Dios para la raza humana. Este mundo necesita un poco más de la vida del Edén, una vida saludable, armoniosa, y feliz; una vida de paz interior, bienestar físico, y de proximidad con nuestro Creador. En este ritmo agitado de la vida en el siglo XXI, la dieta de la despensa de la naturaleza fortalecerá tu mente y tu cuerpo. Disfruta de los diversos platos principales nutritivos y deliciosos que puedes servir a tu familia.

¿Podemos obtener suficiente proteína de calidad con una dieta vegetariana?

Obtenemos suficientes proteínas de calidad cuando comemos una amplia variedad de frutas, verduras, granos, y frutos secos. La dieta vegetariana fue la dieta que Dios asignó a la raza humana en el Jardín del Edén. No en vano las frutas, los granos, y las verduras han sido llamados los "alimentos protectores", porque son los alimentos que proporcionan vitaminas y minerales en abundancia.

Extensas investigaciones conducidas por universidades, instituciones médicas y agencias de salud gubernamentales revelan que las dietas vegetarianas proveen suficientes proteínas de calidad. Si adoptamos una dieta vegetariana variada y con calorías suficientes, no necesitamos preocuparnos de las deficiencias proteicas.

Una dieta de frutas, semillas y frutos secos, granos y verduras ha sido fuertemente respaldada por la ciencia moderna como segura y como la forma más económica de reducir el riesgo de cardiopatías, obesidad, derrame cerebral y cáncer. Cuando incluimos estos alimentos vegetales en nuestra dieta, obtenemos vitaminas suficientes (con excepción de B12), minerales, hidratos de carbono, grasas naturales y proteínas para mantener la buena salud.

Podemos concluir asegurando que una dieta vegetariana provee todas las vitaminas, carbo-hidratos, grasas y proteínas para cubrir nuestras necesidades nutricionales. Las investigaciones han demostrado que la necesidad real de proteína es bastante baja, y que la dieta vegetariana puede fácilmente proporcionar la cantidad requerida.

Chili

1 cebolla, picada

2 dientes de ajo

½ pimiento verde, picado

1 cda. de aceite de oliva

1 lata de sustituto de hamburguesa vegana (*Cedar Lake*)

2 latas de frijoles vegetarianos para chili de 16 onzas

1 lata de frijoles rojos de 16 onzas

2 latas de tomates guisados de 14.5 onzas

Saltea la cebolla, los ajos, y el pimiento verde en aceite de oliva. Agrega el sustituto de hamburguesa, los frijoles, y los tomates. Cocina a baja temperatura durante unos 30 minutos.

Análisis nutricional (por porción: 1/10 receta): Calorías: 215; grasa total: 5.5 gr; grasa saturada: 0.8 gr; sodio: 678 mg; carbohidratos totales: 24.6 gr; fibra alimentaria: 9.6 gr; proteína: 16.7 gr.

Guisado de lentejas

½ taza de apio picado

1 cebolla picada

1 taza de zanahorias en rodajas

2 tazas de papas en cubos

1 taza de lentejas secas

1 cdta. de sal

2 cdas. de perejil

1 cuarto litro de agua

½ cdta. de tomillo

1 de 1 libra (16 onzas) lata de tomates en cubos

Coloca todos los ingredientes en una olla. Cocina durante unos 90 minutos.

Análisis nutricional (por porción: 1/10 receta): Calorías: 110; grasa total: 0.3 gr; grasa saturada: 0 gr; sodio: 238.3 mg; carbohidratos totales: 21.9 gr; fibra alimentaria: 8.1 gr; proteína: 6.6 gr.

Hamburguesas de avena

4 ½ tazas de agua

½ taza de proteína líquida (*Bragg Liquid Aminos*)

1 cdta. de ajo en polvo

¼ taza de levadura de cerveza o levadura nutricional

1 cebolla picada

2 cdas. de aceite

4 ½ tazas de avena instantánea

Lleva el agua, la proteína líquida, los condimentos, la cebolla, y el aceite a punto de ebullición. Baja a temperatura media. Agrega la avena. Cocina durante un minuto. Forma el medallón colocando la mezcla en la tapa de un frasco. Hornea hasta que estén doradas a 350° F (175° C) durante unos 45 minutos. Voltea los medallones después de 20 minutos.

Idea: *Con la tapa de un frasco lograrás hamburguesas uniformes. Para hamburguesas pequeñas, usa una tapa de boca chica, para hamburguesas más grandes, usa una tapa de boca grande. Si no tienes tapas de frascos, forma los medallones con tus manos.*

Análisis nutricional (por porción: 1 hamburguesa de avena - 1/18 receta): Calorías: 118; grasa total: 3.1 gr; grasa saturada: 0.4 gr; sodio: 415.4 mg; carbohidratos totales: 17.2 gr; fibra alimentaria: 3.4 gr; proteína: 6.1 gr.

Bifes de gluten

Bifes de gluten:

4 tazas de harina de gluten
4 tazas de agua

Caldo:

½ litro de agua
1 cebolla picada
1 cda. de extracto de levadura (*Vegex*)
½ cdta. de ajo en polvo
⅓ taza de proteína líquida (*Bragg Liquid Aminos*) o salsa de soja
2 cdas. de aceite de oliva *light*

Bifes de gluten: Mezcla la harina y el agua. Amasa bien.

Caldo: Mezcla el agua, la cebolla, los condimentos, y el aceite. Lleva a punto de ebullición.

Corta el gluten en rebanadas de manera que se parezcan a un bife y agrega al caldo. Cocina a baja temperatura hasta que la mayor parte del líquido se haya evaporado. Los bifes pueden ser empanizados y dorados en una sartén.

Análisis nutricional (por porción: 1 bife - 1/20 receta): Calorías: 127; grasa total: 1.4 gr; grasa saturada: 0.2 gr; sodio: 288.1 mg; carbohidratos totales: 10.3 gr; fibra alimentaria: 0.1 gr; proteína: 16.1 gr.

Bifes de gluten con cebollas, pimientos y salsa de tomate

1 receta de bifes de gluten
2 cdas. de aceite de oliva *light*
2 cebollas cortadas en tiras
1 pimiento verde grande, cortado en tiras
4 tomates frescos cortados en pedazos
3 cdas. de pasta de tomate
½ cdta. de sal de cebolla
½ cdta. de sal de ajo
½ cdta. de condimento italiano
½ cdta. de albahaca dulce

Saltea las cebollas y los pimientos en aceite. Agrega los tomates, la pasta de tomate y los condimentos. Agrega el gluten a la mezcla de verduras.

Análisis nutricional (por porción: 1/10 receta): Calorías: 179; grasa total: 4.4 gr; grasa saturada: 0.7 gr; sodio: 501.8 mg; carbohidratos totales: 16.8 gr; fibra alimentaria: 1.7 gr; proteína: 17.2 gr.

PLATO PRINCIPAL

Salsa de tomate

1 cebolla, picada

2 lata de tomates licuados de 1 libra (16 onzas)

4 tomates frescos pelados y cortados

3 lata de pasta de tomate de 10.6 onzas

2 cdtas. de sal

3 cdtas. de condimento italiano

1 cdta. de ajo en polvo

3 hojas de laurel

1 cda. de albahaca dulce

1 cdta. de azúcar rubio (opcional)

Mezcla todos los ingredientes. Cocina a temperatura baja durante dos horas.

Análisis nutricional (por porción: ¾ taza aproximadamente – 1/18 receta): Calorías: 74; grasa total: 0.4 gr; grasa saturada: 0 gr; sodio: 292.3 mg; carbohidratos totales: 17.7 gr; fibra alimentaria: 4.2 gr; proteína: 3.2 gr.

Albóndigas sin carne

1 cebolla finamente picada

1 diente de ajo picado

1 cda. de aceite de oliva *light*

1 paquete de tofu firme, hecho puré de 16 onzas

½ taza de germen de trigo

½ taza de nueces pacanas picadas

3 cdtas. de sustituto de huevo (*Ener-G Egg Replacer*) mezclado con 2 cda. de agua

2 cdas. de harina de gluten

½ a ¾ taza de arroz integral cocido

½ taza de avena instantánea

¼ cdta. de sal

¼ cdta. de albahaca, mejorana, orégano, condimento italiano

2 cdas. de proteína líquida (*Bragg Liquid Aminos*) o salsa de soja

2 cdas. de perejil finamente picado

Saltea la cebolla y el ajo en aceite de oliva. Mezcla bien con todos los otros ingredientes. Forma las albóndigas. Saltéalas en aceite de oliva *light*.

Análisis nutricional (por porción: 1 albóndiga – 1/12 receta): Calorías: 132; grasa total: 8.2 gr; grasa saturada: 1 gr; sodio: 194 mg; carbohidratos totales: 10.4 gr; fibra alimentaria: 1.9 gr; proteína: 6.1 gr.

Cacerola de berenjena

1 berenjena grande

2 cdas. de aceite vegetal

1 cebolla, picada

1 diente de ajo, picado

1 pimiento verde, picado

1 taza de sustituto de hamburguesa o gluten (opcional)

3 cdas. de harina

1 cdta. de sal

1 lata de tomates, licuados de 14 onzas

2 hojas de laurel

½ taza de miga de pan

Pela y corta la berenjena en rebanadas de una pulgada. Cocínalas en un poco de agua salada hasta que estén tiernas. Escúrrelas y colócalas en una fuente para horno aceitada. Saltea la cebolla, el ajo, el pimiento verde y el sustituto de hamburguesa en aceite. Espolvorea la harina y la sal sobre la mezcla y revuelve. Agrega los tomates y el laurel. Mezcla suavemente. Cocina durante algunos minutos a temperatura baja. Retira las hojas de laurel. Vierte sobre las berenjenas. Cubre todo con una capa de miga de pan. Cocina a 300° F (150° C) durante 20 a 30 minutos.

Análisis nutricional (por porción: 1/9 receta): Calorías: 80; grasa total: 3.4 gr; grasa saturada: 0.3 gr; sodio: 248.3 mg; carbohidratos totales: 12.2 gr; fibra alimentaria: 15.2 gr; proteína: 1.8 gr.

Lentejas asadas

2 tazas de lentejas cocidas

1 taza de nueces pacanas picadas

2 tazas de leche de soja

1 cebolla finamente picada

1 cdta. de sal

1 cdta. de salvia

½ cdta. de ajo en polvo

1 ½ taza de hojuelas de maíz u hojuelas de cereal integral molidas

Mezcla todos los ingredientes. Hornea a 350° F (175° C) durante 60 minutos.

Análisis nutricional (por porción: 1/9 receta): Calorías: 171; grasa total: 9.4 gr; grasa saturada: 0.8 gr; sodio: 267.3 mg; carbohidratos totales: 18.1 gr; fibra alimentaria: 5 gr; proteína: 6.2 gr.

Salsa de "pollo"

⅓ taza de aceite

½ taza de harina blanca

3 tazas de agua

1 cdta. de proteína líquida (*Bragg Liquid Aminos*)

1 ½ cda. de condimento de pollo (*McKay´s*)

Mezcla el aceite y la harina hasta formar una mezcla cremosa. Agrega el agua y la salsa de soja. Cocina hasta que espese, revolviendo constantemente. Agrega el condimento de pollo. Sirve caliente.

Análisis nutricional (por porción: aproximadamente 3 cdas. – 1/13 receta): Calorías: 71; grasa total: 5.6 gr; grasa saturada: 0.4 gr; sodio: 205.2 mg; carbohidratos totales: 4.4 gr; fibra alimentaria: 0.1 gr; proteína: 0.5 gr.

Parva de verduras

1 bolsa de totopos (*chips*) de maíz
2 latas de frijoles negros o 1 lata de frijoles refritos
   vegetarianos mezclados con 1 lata de frijoles para chili
1 tazón pequeño de lechuga picada
3 tomates picados
1 cebolla picada
½ pimiento verde picado
½ pimiento rojo picado
1 lata de aceitunas negras cortadas en rodajas
Guacamole
Salsa

Guacamole:

2 aguacates pisados
½ cebolla finamente picada
3 cdtas. de jugo de limón fresco
¾ cdta. de ajo en polvo
1 tomate finamente picado

Salsa:

4 tomates grandes, picados
1 cebolla finamente picada
1 diente de ajo
1 cda. de jugo de limón
¼ taza de cilantro
½ cdta. de orégano

Guacamole: Mezcla todos los ingredientes.

Salsa: Mezcla todos los ingredientes

Quiebra los *chips* de maíz en pequeños trozos. Agrega los
frijoles calientes. Apila las verduras sobre los *chips*.
Cubre con guacamole y salsa.

Análisis nutricional (guacamole por porción: 1/8 receta): Calorías: 80;
grasa total: 6.7 gr; grasa saturada: 0.9gr; sodio: 4.6 mg; carbohidratos totales:
5.5 gr; fibra alimentaria: 3.3 gr; proteína: 1.1 gr.

Análisis nutricional (salsa por porción: 1/8 receta): Calorías: 24; grasa total:
0.2 gr; grasa saturada: 0 gr; sodio: 5.9 mg; carbohidratos totales: 5.5 gr;
fibra alimentaria: 1.4 gr; proteína: 1 gr.

Pizza fácil y rápida

Masa para pizza de harina de trigo integral, comprada
Salsa vegana italiana, comprada
Berenjena
Leche de soja
Pan rallado
Tomates cortados en rodajas
Pimientos cortados en rodajas
Cebollas cortadas en rodajas

Vierte la salsa italiana sobre la masa para pizza. Corta la berenjena en rodajas. Sumerge las berenjenas en la leche de soja y el pan rallado. Saltéalas en aceite de oliva. Coloca las berenjenas sobre la masa. Agrega los tomates, los pimientos y la cebolla, o tu verdura favorita. Hornea a 400° F (200° C) durante 15 minutos.

Ensaladas

Ensaladas

¿Has comido ensalada hoy? Muchos nutricionistas concuerdan en que los estadounidenses necesitan comer más frutas y verduras, especialmente verduras verde oscuro y anaranjadas.

Comer ensalada fresca casi todos los días puede ser uno de los mejores hábitos alimenticios que puedes adoptar. La ensalada es uno de los alimentos más fáciles y más simples de preparar. Comer ensaladas es una forma conveniente de incluir algunas porciones de verduras o frutas en la dieta.

Una ensalada con colores vibrantes es encantadora para los ojos, tentadora para el gusto, estimulante del apetito, y energizante para todo el organismo. Las ensaladas nos remontan a nuestros orígenes en la creación. En el Jardín del Edén, las frutas y las verduras provenían de la mano del Creador. Aquel que nos creó sabe cómo cuidarnos. En un mundo plagado de enfermedades, ningún alimento contribuye más a la salud que las frutas y las verduras frescas en su estado natural.

Esta sección de ensaladas es una de mis favoritas. Rara vez pasa un día en el que no coma una ensalada fresca llena de lechugas, tomates, zanahorias, pepinos, coliflor, brócoli, etc. El comer ensalada cada día nos proporciona, a mi esposo y a mí, la energía para resistir nuestra agitada agenda.

Con un poco de imaginación, puedes tomar una ensalada de lechugas como base y agregar una amplia variedad de verduras crudas y recién cortadas. Las mezclas de ensaladas preempaquetadas facilita la preparación de una ensalada hoy más que nunca antes. Si estás preocupado por tu peso, te complacerá saber que es difícil comer ensalada de más. Así que trata de incluir una ensalada en tu menú de cada día.

Ensalada de remolacha (betabel)

1 lata de remolachas en cubos, escurrida

1 cebolla pequeña, finamente picada

¼ cdta. de sal

¼ a ½ taza de mayonesa de soja

Combina todos los ingredientes. Enfría y sirve.

Análisis nutricional (por porción: ½ receta): Calorías: 119; grasa total: 6 gr; grasa saturada: 1 gr; sodio: 613.4 mg; carbohidratos totales: 16.3 gr; fibra alimentaria: 2.4 gr; proteína: 1.5 gr.

Ensalada de repollo

1 repollo picado
1 lata de piña picada sin endulzar de 20 onzas
½ taza de nueces picadas
½ cdta. de sal
½ a ¾ taza de mayonesa de soja

Mezcla todos los ingredientes. Enfría y sirve.

Usa más o menos mayonesa, de acuerdo a tu gusto.

Análisis nutricional (por porción: 1/8 receta): Calorías: 102; grasa total: 5.3 gr; grasa saturada: 0.7 gr; sodio: 199.9 mg; carbohidratos totales: 13.4 gr; fibra alimentaria: 1.1 gr; proteína: 0.8 gr.

Ensalada Oriente Medio

4 tomates

3 pepinos

1 pimiento verde chico

1 pimiento rojo chico

3 cebollas de verdeo

¾ cdta. de sal

3 cdas. de aceite de oliva

3 cdas. de jugo de limón

Corta en cubos los tomates, los pepinos y los pimientos. Pica las cebollas. Mezcla. Agrega la sal, el aceite de oliva y el jugo de limón.

Análisis nutricional (por porción: 1/6 receta): Calorías: 105; grasa total: 7.3 gr; grasa saturada: 1 gr; sodio: 244.8 mg; carbohidratos totales: 9.4 gr; fibra alimentaria: 2.9 gr; proteína: 2.1 gr.

1 ¼ taza de trigo burgol
1 cdta. de sal
1 ½ taza de agua hirviendo
Aderezo (ver receta abajo)
1 tomate fresco grande
½ pepino
½ pimiento verde

Aderezo:

3 cdas. de aceite de oliva
3 cdas. de jugo de limón
½ cdta. de orégano
2 cdas. de menta fresca
1 diente de ajo
6 cdas. de perejil fresco picado
3 cebollas de verdeo finamente
picadas

Tabule

Mezcla el trigo burgol y la sal. Vierte el agua hirviendo sobre la mezcla y deja descansar durante 20 minutos. Mezcla los ingredientes del aderezo. Vierte sobre el trigo burgol y la mezcla. Cubre y guarda en la heladera durante la noche. Pica y agrega los tomates, el pepino y el pimiento verde. Sirve con un pan *pita* integral.

Análisis nutricional (por porción: 1/10 receta): Calorías: 106; grasa total: 4.4 gr; grasa saturada: 0.6 gr; sodio: 195.8 mg; carbohidratos totales: 15.6 gr; fibra alimentaria: 4 gr; proteína: 2.7 gr.

Ensalada de frijoles

1 lata de chauchas, (ejotes) escurridos, de 16 onzas
1 lata de frijoles rojos, escurridos y enjuagados, de 16 onzas
1 lata de garbanzos, escurridos y enjuagados, de 16 onzas
¼ taza de pimiento verde picado fino
½ taza de apio picado
¼ taza de pimiento rojo picado
1 cebolla de verdeo finamente picada
¼ taza de jugo de limón
2 cdas. de aceite
½ cdta. de sal

Mezcla todos los ingredientes. Dejar marinar en la heladera durante algunas horas antes de servir.

Análisis nutricional (por porción: 1/10 receta): Calorías: 129; grasa total: 3.4 gr; grasa saturada: 0.5 gr; sodio: 385.8 mg; carbohidratos totales: 20.37 gr; fibra alimentaria: 6 gr; proteína: 5.2 gr.

C. N. — 4

Ensalada verde revuelta

Lechuga romana cortada en trozos
1 tomate grande, cortado
1 pepino pelado y cortado en rodajas
2 cebollas de verdeo picadas
1 aguacate pelado y picado en trozos
Coliflor en trozos

Mezcla y sirve.

Nota: *Puedes agregar cualquier verdura que te guste. Cuanto más colorida es la ensalada, más nutritiva es.*

Aderezo de aceite de oliva y jugo de limón

¼ taza de jugo de limón
3 cdas. de agua
1 paquete de aderezo italiano para ensalada (*Good Seasons Italian All Natural Salad Dressing & Recipe Mix*) o el condimento que prefieras
½ taza de aceite de oliva

Prepara el aderezo en una vinagrera u otro recipiente con tapa a rosca. Bate bien. Vierte sobre la ensalada.

Nota: *Para utilizar menos aceite, puedes sustituir la media taza de aceite por un cuarto de taza de agua y un cuarto de taza de aceite.*

Análisis nutricional (por porción: aproximadamente 2 cdas. - 1/8 receta):
Calorías: 125; grasa total: 13.5 gr; grasa saturada: 1.8 gr; sodio: 320.6 mg; carbohidratos totales: 1.7 gr; fibra alimentaria: 0 gr; proteína: 0 gr.

Sándwiches

y otras opciones de almuerzo

Las cantidades de ingredientes para muchos de los sándwiches variarán de acuerdo a cuántos sándwiches preparas.

Sándwiches

Los sándwiches son una de las comidas favoritas de los estadounidenses. Incluso antes de que George Washington Carver triturara el maní y untara un poco de crema de maní entre dos rodajas de pan, los estadounidenses ya preparaban y comían sándwiches. Era siempre un buen día cuando tu mamá te daba ese delicioso sándwich de crema de maní y mermelada para el almuerzo en la escuela. Al menos había un sándwich que no querías intercambiar.

Al paso de los años, la variedad de pastas para untar y rellenos ha crecido rápidamente. El típico sándwich estadounidense incluye no solo crema de maní y mermelada, sino también una variedad de pastas para untar y quesos. Pero muchos de los sándwiches que los estadounidenses consumen son altos en colesterol y bajos en nutrición.

La crema de maní contiene vitamina E, niacina, y manganeso. También que contiene altas cantidades de vitaminas y antioxidantes. La próxima vez que compres crema de maní en el mercado, selecciona la natural, pues contiene los ingredientes necesarios para la salud y ninguno de esos químicos cuyos nombres no podemos pronunciar.

En esta sección de *Cocina para un estilo de vida natural*, me he concentrado especialmente en desarrollar sándwiches sabrosos, nutritivos y saludables. Puedes prepararlos como almuerzos para tu familia, llevarlos a días de campo, o usarlos como una cena ligera. Disfrutarás de estas creaciones saludables aun más cuando hagas tus sándwiches conforme a las recetas saludables que se hallan en la sección de panes de este libro.

Estos sándwiches nutritivos son altos en fibra y no contienen colesterol. Están llenos de vitaminas y contienen cantidades significativas de proteína. Aunque esta sección contiene recetas específicas de sándwiches que nuestra familia disfruta, usa tu creatividad para adaptar estos ingredientes saludables a tu gusto. Quién sabe qué gran sándwich está esperando ser descubierto. Te puedes convertir en el próximo George Washington Carver.

Sándwich de "ensalada de huevo"

1 paquete de tofu firme, de 16 onzas
½ taza de apio finamente picado
1 cda. de perejil fresco, picado
½ cdta. de sal o al gusto
1 cdta. de cúrcuma
1 cdta. de cebolla en polvo
½ cdta. de ajo en polvo
1 cdta. de condimento de pollo (*McKay´s*)
Mayonesa de soja al gusto
Lechuga

Escurre y pisa el tofu. Mezcla todos los ingredientes excepto la lechuga. Agrega lechuga al sándwich.

Sándwich submarino de berenjena

4 panecillos de trigo italianos
1 berenjena
leche de soja
pan rallado
aceite de oliva
1 frasco de salsa para pasta
queso de soja (opcional)

Corta en rodajas la berenjena y luego corta las rodajas a la mitad. Pasa la berenjena por la leche de soja y el pan rallado. Saltéalas en aceite de oliva *light*. Coloca la berenjena dentro del pan de trigo y agrega la salsa de tomate caliente.

Puedes agregar queso de soja si así lo deseas.

Sándwich de hamburguesa vegetal

Pan para hamburguesa de trigo
integral
hamburguesas de avena (página 36)
Lechuga
Tomates cortados en rodajas
Cebolla colorada cortada en rodajas

Coloca todos los ingredientes sobre el pan de hamburguesa de trigo integral. Agrega salsa *kétchup* si deseas.

Nota: Las hamburguesas vegetales pueden ser sustituidas por las hamburguesas vegetales compradas (*MorningStar Farms Grillers*).

Sloppy Joes

1 cebolla picada

2 dientes de ajo

1 cda. de aceite de oliva

1 lata de hamburguesa vegetal (*Cedar Lake*)

1 frasco de salsa para pastas

panecillos multigrano tostados

Saltea las cebollas y el ajo en aceite de oliva. Agrega la hamburguesa. Saltea. Agrega la salsa de tomate. Sirve sobre panecillos multigranos o integrales tostados.

Análisis nutricional (por porción: 1/2 receta): Calorías: 802; grasa total: 29gr; grasa saturada: 4.2 gr; sodio: 2830 mg; carbohidratos totales: 77.2 gr; fibra alimentaria: 12.5 gr; proteína: 58.4 gr.

Falafel en pan *pita*

Pan *pita*

Humus (receta abajo)

Falafels (página...)

Lechuga, picada

Tomates en rodajas

1 lata de garbanzos

Đ taza de líquido de los garbanzos

3 cdas. de jugo de limón

3 cdas. de tahini

1 diente de ajo picado

1 cdta. de sal

1 cdta. de aceite de oliva

Humus: Vierte todos los ingredientes en una licuadora. Licúa hasta que quede una pasta cremosa y bien mezclada.

Sirve los falafels en pan *pita* fresco con humus, lechuga, y tomate.

Análisis nutricional (humus por porción - 1/6 receta): Calorías: 114; grasa total: 5.0 gr; grasa saturada: 0.7 gr; sodio: 474.7 mg; carbohidratos totales: 14.5 gr; fibra alimentaria: 3 gr; proteína: 4 gr.

Tacos

1 lata de hamburguesa vegetariana
   de 19 onzas
1 cda. de aceite de oliva
8 tortillas para tacos
Lechuga picada
Tomates picados
1 cebolla picada
Aguacates pisados
Salsa (página...)
Crema agria (*Tofutti Sour Supreme*)
Queso de soja (opcional)

Saltea la hamburguesa vegetariana en aceite de oliva. Coloca la hamburguesa en las tortillas para tacos. Agrega la lechuga, los tomates y la cebolla al gusto. Cubre con los aguacates pisados, la salsa y la crema agria.

Las cantidades de verduras y aderezos estará determinada por la cantidad de tacos que prepares.

Sopas

Sopas

Mi esposo y yo hemos hecho varios viajes internacionales. Y hemos observado que en cualquier parte del mundo a la gente le gusta tomar un tazón de buena sopa. Un tazón de sopa casera caliente proporciona más nutrientes de lo que puedes imaginar. Frecuentemente está llena de vitaminas y minerales de las verduras que forman su base. Mucha gente considera la sopa como uno de sus platos favoritos. Es deliciosa, nutritiva y económica. En muchas culturas del mundo es común comenzar la comida con un tazón de sopa.

Las sopas y la hospitalidad van de la mano. ¿Has escuchado el dicho: "Entra, amigo. Agregaremos un poco más de agua a la sopa"? A menudo las buenas conversaciones ocurren sobre un delicioso tazón de sopa caliente. Durante años, mientras nuestros niños crecían, los viernes de noche comíamos sopa, ensalada y pan casero. Aunque las sopas variaban, las conversaciones eran siempre alegres. Mi sopa vegetariana de verduras ha sido siempre una de las favoritas de la familia Finley. Espero que

disfrutes estas recetas de sopas tanto como nosotros.

Cuando desarrollé las recetas para este libro, me concentré en recetas que fueran sabrosas, saludables y fáciles de preparar. Una de las grandes ventajas de estas sopas es que son fáciles de preparar y digeribles, y están llenas de buenos nutrientes. Otra gran ventaja de las sopas es que siempre puedes hacer de más. Puedes refrigerarla, recalentarla, y disfrutarla en otro momento. Esto te dará una ventaja en la preparación de comidas para la semana próxima.

Algunas veces me es necesario viajar a causa de mi trabajo. Cuando mi esposo está en casa solo, es fácil para él recalentar la sopa que preparé algunos días antes. Si nuestros hijos casados están viajando hacia la casa y no sabemos cuando llegarán, solo hago una olla grande de sopa y algo de pan integral. Y cuando ellos llegan, la sopa está lista.

Servirle sopa a tu familia es otra buena forma de lograr que coman verduras. Una creciente cantidad de evidencia científica revela que las

decisiones nutricionales sabias pueden reducir la tasa de enfermedades degenerativas, como el cáncer y las cardiopatías ocasionadas por el estilo de vida. A veces, un simple tazón de sopa nutritiva llena de zanahorias, chauchas (ejotes), papas, tomates y cebollas proporciona las vitaminas, los minerales, y los antioxidantes que son tan provechosos para la salud.

De acuerdo con un boletín informativo de la Escuela de Salud Pública de Harvard, "es difícil argumentar en contra de los beneficios para la salud de una dieta rica en verduras y frutas".* El artículo continúa explicando que una dieta vegetariana baja la presión arterial y reduce el riesgo de cardiopatías, derrame cerebral y, probablemente, algunos cánceres. Las personas que consumen cantidades suficientes de frutas y verduras tienen un menor riesgo de padecer problemas digestivos. Un beneficio adicional es "un moderado efecto sobre el azúcar en la sangre que puede ayudar a mantener el apetito bajo control". Los nutricionistas de Harvard estimulan a los estadounidenses a elegir más

verduras y frutas y "a decidirse por el color y la variedad" en la selección de sus alimentos. Estas son razones convincentes para preparar tus propias sopas de verduras nutritivas, llenas de ingredientes que mejoran la salud.

La mayoría de las sopas son bajas en calorías y altas en nutrientes. Si deseas controlar tu peso, ¿porque no planificar tomar una sopa y galletas en vez de una comida pesada en la cena? Las sopas son también muy económicas. Te sorprenderá saber cuán económico puede ser preparar tus propias sopas vegetarianas. Si estás preocupado por el aumento en el costo de los alimentos y quieres evitar los alimentos refinados y enriquecidos artificialmente, entonces las sopas naturales y saludables son el platillo ideal para ti. He colocado las sopas preferidas de mi familia en esta sección. Nosotros las disfrutamos y sabemos que tú también lo harás. Así que disfruta la sopa del día.

*"The Nutrition Source: Fruit and Vegetables," Harvard School of Public Health, September 26, 2011.

Sopa de crema de maíz

4 tazas de agua
1 cebolla picada
3 tazas de tomates en cubos
1 cdta. de sal
1 cdta. de perejil
½ cdta. de hojas de tomillo
1 cdta. de mejorana
½ cdta. de albahaca dulce
1 cubo de caldo de verduras vegetariano
3 tazas de maíz entero congelado
1 cda. de aceite de oliva *light*
2 cdas. de harina enriquecida sin blanquear
1 ½ taza de leche de castañas de cajú o 1 ½ tazas de leche de almendras licuada con 1/3 taza de castañas de cajú

Leche de castañas de cajú (anacardo)
½ taza de castañas de cajú
2 tazas de agua

Cocina a baja temperatura el agua, las cebollas, las papas y los condimentos hasta que estén tiernos. Agrega el maíz. En otra sartén, calienta el aceite de oliva y la harina. Agrega la leche. Cocina hasta que espese. Agrega la salsa cremosa a la mezcla de verduras. Reduce la temperatura. Sirve caliente.

Leche de castañas de cajú: Licúa las castañas de cajú en el agua.

Análisis nutricional (por porción: 1/10 receta): Calorías: 108; grasa total: 32.5 gr; grasa saturada: 0.6 gr; sodio: 284.5 mg; carbohidratos totales: 17.9 gr; fibra alimentaria: 2.1 gr; proteína: 3 gr.

Sopa de papa y puerro

5 tazas de papas en cubos

2 tazas de puerro picado

1 cebolla picada

¾ taza de apio picado

5 tazas de agua

1 cdta. de sal

2 cdas. de condimento de pollo (*McKay´s*)

2 cdas. de perejil

½ cdta. de tomillo

½ cdta. de mejorana

1 cubo de caldo vegetariano de verduras (opcional)

1 taza de leche de soja

Cocina las papas, los puerros, la cebolla y el apio en agua salada. Agrega los condimentos. Agrega la leche y cocina a baja temperatura. No dejes que hierva.

Análisis nutricional (por porción: 1/5 receta): Calorías: 117; grasa total: 0.7 gr; grasa saturada: 0.1 gr; sodio: 1,269.5 mg; carbohidratos totales: 25.6 gr; fibra alimentaria: 3.1 gr; proteína: 3.1 gr.

Sopa de tomate y albahaca

2 cdas. de aceite de oliva

1 cebolla

2 dientes de ajo picados

1 lata de puré de tomate de 14 onzas

1 lata de tomates enteros, licuados, de 14 onzas

2 cdas. de albahaca fresca picada o 1 cdta. de albahaca entera seca

2 tazas de agua

¼ cdta. de sal

1 cdta. de orégano

1 cubo de caldo vegetariano de verduras

1 tomate pelado y picado

1 cda. de almidón de maíz mezclado con 2 cdas. de agua

1 taza de leche de almendras, leche de castañas de cajú, o leche de soja sin endulzar (opcional)

Saltea la cebolla y el ajo en aceite de oliva. Agrega la cebolla y el ajo al puré de tomate. Mezcla los tomates con la albahaca fresca. Agrega agua y los condimentos. Agrega el tomate pelado. Espesa con el almidón de maíz. Cocina a temperatura media hasta que esté caliente y el sabor se haya combinado.

Nota: A algunas personas puede gustarles la sopa cremosa de tomate y albahaca. Si es así, agrega la leche de tu preferencia.

Análisis nutricional (por porción: 1/5 receta): Calorías: 130; grasa total: 6.1 gr; grasa saturada: 0.8 gr; sodio: 179.1 mg; carbohidratos totales: 18.7 gr; fibra alimentaria: 3.7 gr; proteína: 3gr.

Sopa de verduras

3 tazas de papas en cubos

2 tazas de zanahorias cortadas en rodajas

½ taza de apio picado

1 cebolla

1 cdta. de sal

9 tazas de agua (más el líquido de las chauchas o ejotes)

2 cubos de caldo vegetariano

1/3 taza de cebada

¼ taza de perejil

½ cdta. de mejorana

½ cdta. de tomillo

¼ cdta. de albahaca fresca

1 hoja de laurel

1 lata grande de tomates en cubos de 28 onzas

2 latas de chauchas (ejotes) cortadas, de 14.5 onzas Guarda el líquido

Pela y corta las papas en cubos. Pela y corta las zanahorias en rodajas. Pica el apio y la cebolla. Coloca en una olla y lleva a punto de ebullición las papas, las zanahorias, el apio, la cebolla, la sal y el agua (incluyendo el líquido de las chauchas). Cubre y cocina a baja temperatura durante quince minutos o hasta que las verduras estén tiernas. Agrega los caldos en cubos, la cebada y los condimentos. Cocina durante una hora. Corta las chauchas (ejotes) por la mitad. Agrega los tomates picados y las chauchas. Continúa cocinando durante otra hora. Retira las hojas de laurel y sirve.

Análisis nutricional (por porción: 1/10 receta): Calorías: 87; grasa total: 0.3gr; grasa saturada: 0 gr; sodio: 429.6 mg; carbohidratos totales: 20.1 gr; fibra alimentaria: 4.7 gr; proteína: 2.8 gr.

Verduras

Verduras

Nuestro joven nieto disfruta mirando las series del DVD pedagógico *VeggieTales*. Recientemente, la música de fondo de las series resonó en mi mente. En esa canción, verduras caricaturizadas, como el brócoli y el apio, hablan y cantan lecciones educativas. Los DVD *VeggieTales* son la versión moderna de lo que nuestras madres nos decían hace años: "Cómete todas las verduras." Ellas tenían razón. Las madres alrededor del mundo pueden decir ahora: "Te lo dije." La evidencia es convincente. Comer verduras es una de las mejores cosas que puedes hacer por tu salud.

Las investigaciones del siglo XXI revelan que lo que nuestras madres nos decían era verdad. Las verduras frescas, cuando son cocinadas adecuadamente, contienen altos niveles de nutrientes esenciales para nuestra salud. Las verduras también son "alimentos protectores". Nos ayudan a construir el sistema de defensa del cuerpo que previene las enfermedades degenerativas que están plagando la sociedad. Aunque no podemos eliminar todas las cardiopatías, los derrames cerebrales y el cáncer, podemos reducir dramáticamente el riesgo de contraer estas enfermedades si adoptamos una dieta natural y saludable. Las verduras son una parte esencial de cualquier régimen dietético saludable.

Advertirás que en esta sección he enfatizado la variedad en los tipos de platos vegetales. Porque no todos en la familia tienen los mismos gustos y aversiones cuando se trata de las verduras. Es importante que descubras la clase de verduras que tu familia disfruta. Concéntrate en preparar platillos saludables que hagan que tu familia quiera repetir.

También notarás que he enfatizado el colorido. Aquí tenemos una regla general de nutrición: si la comida que pones en tu mesa tiene varios colores, contiene suficiente cantidad de nutrientes. Las remolachas, el brócoli, las zanahorias y el coliflor tienen diferentes colores y diferentes nutrientes. Comer verduras variadas, con un surtido de colores y preparadas adecuadamente, reforzará la salud de tu familia. Las verduras coloridas también son atrayentes a la vista y se ven muy apetitosas. Cuando eliges alimentos coloridos, puedes estar seguro de que estás obteniendo muchos fitoquímicos, también llamados fitonutrientes, buenos para tu salud.

Los fitoquímicos son compuestos derivados de las plantas que contienen propiedades que previenen enfermedades. Se sabe que las plantas producen estos químicos para protegerse, pero investigaciones recientes demuestran que también pueden proteger de enfermedades a los seres humanos. Entre los millares de fitoquímicos conocidos, algunos de los más reconocidos son los licopenos del tomate, las isoflavonas de la la soja, y los flavonoides de las frutas.

La forma más fácil de obtener fitoquímicos consiste en comer más fruta, como fresas, arándano azul, arándano rojo, cerezas y manzanas; y verduras, como coliflor, repollo, zanahoria y brócoli. La Asociación Dietética Estadounidense recomienda comer por lo menos cinco a nueve porciones de fruta y verduras cada día. Las frutas y las verduras también son ricas en minerales, vitaminas y fibra.

La mejor forma de comer verduras consiste en comerlas en el empaque natural con las que nuestro Creador las creó. Las verduras consumidas en su estado natural son las mejores. Algunas verduras requieren cocimiento para liberar mejor las vitaminas y minerales o para posibilitar la adecuada digestión humana. El método que recomendamos como el mejor para preparar verduras cocidas es la cocción al vapor. Es el más saludable. La cocción al vapor realza el sabor, aumenta el gusto natural, y preserva la cantidad máxima de vitaminas. Cocina al vapor la mayoría de tus verduras frescas o prepáralas con el agua necesaria para que la verdura la absorba. También puedes usar una variedad de verduras congeladas. Además de ser coloridas y nutritivas, las verduras son sabrosas cuando se cocinan correctamente. Consume suficiente cantidad de verduras para mantenerte saludable.

A muchos estadounidenses les gustan las papas, por eso he incluido una variedad de recetas de papa que mi familia disfruta, además de recetas para otros platillos con verduras. Estos platillos no son solo saludables, también son sabrosos. Por eso mi esposo acostumbra decir: "Aliméntame con una dieta nutritiva, pero haz que el sabor y la apariencia sean tan buenas que tenga deseos de comerla".

Preparaciones simples de varias verduras populares

Espárragos
Lava y cocina al vapor los espárragos.

Brócoli
Lava, corta, y cocina al vapor el brócoli.

Zapallo (calabacita)
Pela, corta y hierve el zapallo en la cantidad justa de agua, como para que sea absorbida por el zapallo cuando esté tierno y cocido.

Zanahorias

Lava y corta en rodajas las zanahorias. Hiérvelas en un poco de agua.

Chauchas (ejotes)

Cocina al vapor o hierve las chauchas y agrégale almendras.

Cocina al vapor o hierve las verduras que elijas. Te encantarán.

Nota: Agrega sal al gusto. Cuando se agrega un poco de sal a las verduras en el momento de la cocción, no hay necesidad de salar en la mesa.

Cena de verduras hervidas

6 papas
8 zanahorias
3 cebollas
1 repollo
1 cdta. de sal (o lo que desees)
agua (3 tazas aproximadamente)

Pela y corta las papas en cuatro partes, corta las zanahorias en tiras largas, corta las cebollas y el repollo en pequeños pedazos. Hierve en agua salada. El agua debería ser absorbida durante la cocción de las verduras.

Análisis nutricional (por porción: 1/8 receta): Calorías: 168; grasa total: 0.4 gr; grasa saturada: 0 gr; sodio: 292.3 mg; carbohidratos totales: 38.5 gr; fibra alimentaria: 6.4 gr; proteína: 4.3 gr.

Brócoli y arroz

2 tazas de arroz integral cocido

1 atado de brócoli fresco o congelado,
    cocido al vapor

1 lata de sopa de hongos o sustituto de
    sopa de hongos

½ taza de mayonesa de soja

1 taza de leche de soja

1 cdta. de condimento de pollo (*McKay´s*)

1 cdta. de cúrcuma

¼ taza de almendras picadas finamente

Coloca el arroz integral en una fuente chata. Cocina al vapor el brócoli y ubícalo sobre el arroz. Mezcla la sopa de hongos (o el sustituto de sopa de hongos), la mayonesa de soja, la leche de soja y los condimentos. Vierte la salsa sobre el arroz y el brócoli. Espolvorea las almendras sobre la salsa. Cocina a 350° F (175° C) durante 20 minutos.

Análisis nutricional (por porción: 1/8 receta): Calorías: 281; grasa total: 18.4 gr; grasa saturada: 3.1 gr; sodio: 416.1 mg; carbohidratos totales: 24 gr; fibra alimentaria: 2.2 gr; proteína: 5.8 gr.

Plato de verduras y almendras

¼ taza de hojas de cebolla de verdeo frescas

3 tazas de chauchas (ejotes) frescas

1 taza de agua

2 tazas de zanahorias rebanadas

1 ½ coliflor en trozos pequeños

½ cdta. de extracto de levadura (*Vegex*)
   o caldo de verdura

2 cdas. de almidón de maíz mezclado con
   1 a 1 ½ tazas de agua

½ taza de almendras en láminas

Saltea la cebolla en un poco de aceite de oliva. Agrega las chauchas y cocina con las cebollas y el agua durante cinco minutos. Agrega las zanahorias. Cocina durante otros cinco minutos. Agrega el coliflor. Cocina hasta que las verduras estén tiernas. Disuelve el caldo en un poco de agua caliente. Agrega el caldo y la mezcla de almidón de maíz a las verduras. Agrega las almendras. Sirve cuando las verduras están todavía crujientes.

Análisis nutricional (por porción: 1/6 receta): Calorías: 98; grasa total: 4.2 gr; grasa saturada: 0.4 gr; sodio: 115.6 mg; carbohidratos totales: 13.5 gr; fibra alimentaria: 4.7 gr; proteína: 3.6 gr.

Papas

La papa puede ser servida como una comida en sí misma. Solo agrega una variedad de aderezos, como frijoles, cebolla de verdeo, crema agria de tofu, u otros ingredientes que te gusten. Las papas contienen vitaminas B, vitamina C, proteína y minerales: fósforo, magnesio, zinc y yodo.

Papas al horno estilo irlandés

Lava las papas cuidadosamente. Perfora la piel con un tenedor. Hornea a 400° F (200° C) durante una hora.

Nota: Las papas *Russet* son la mejor variedad para hornear. Las papas no deberían ser envueltas en papel de aluminio antes de ser horneadas porque esto puede dejarlas húmedas y blandas. Además, la cáscara de la papa es mucho más rica cuando se hornea.

Análisis nutricional (por porción: 1 papa): Calorías: 290; grasa total: 0.4 gr; grasa saturada: 0 gr; sodio: 23.9 mg; carbohidratos totales: 64.1 gr; fibra alimentaria: 6.9 gr; proteína: 7.9 gr.

Batata (camote) horneada

Lava las batatas cuidadosamente. Hornea a 400° F (200° C) durante aproximadamente una hora.

Análisis nutricional (por porción: 1 batata mediana): Calorías: 103; grasa total: 0.2gr; grasa saturada: 0gr; sodio: 41mg; carbohidratos totales: 23.6gr; fibra alimentaria: 3.8gr; proteína: 2.3gr.

Revuelto de papa y batata (camote)

2 batatas medianas, peladas y cortadas en cubos

2 papas (*Russet*) medianas, peladas y cortadas en cubos

1 cebolla mediana, picada

1 pimiento verde chico, picado

¼ taza de aceite de oliva

1 cda. de orégano

1 cda. de perejil

Cubre ligeramente las papas y las batatas con aceite de oliva o aceite de oliva en aerosol. Colócalas en una fuente para horno. Saltea la cebolla y el pimiento verde en aceite de oliva. Espolvorea las hierbas. Agrega a las papas y las batatas. Hornea a 400° F (200° C) durante unos 30 minutos, hasta que estén tiernas y ligeramente doradas.

Análisis nutricional (por porción: 1/6 receta): Calorías: 189; grasa total: 9.2 gr; grasa saturada: 1.3 gr; sodio: 30.1 mg; carbohidratos totales: 25.4 gr; fibra alimentaria: 3.3 gr; proteína: 2.7 gr.

Papas doble horneado

Papas (*Russet*)

Perejil o paprika

Leche de soja sin endulzante

Lava las papas cuidadosamente. Hornéalas a 400° F (200° C) durante casi una hora. Vacía el interior de la papa con una cuchara. Haz un puré y agrega la leche de soja sin endulzante. Coloca el puré dentro de la cáscara de las papas. Espolvorea con perejil o paprika. Vuelve a ponerlas en el horno durante unos minutos.

Postres

Postres

L as comidas azucaradas han llegado a ser normales para muchos niños y adultos. Comienzan el día desayunando cereales cargados de azúcar y lo rematan con una rosquilla glaseada con azúcar. La fatiga de media mañana es combatida con una barra de chocolate y una gaseosa. El almuerzo se completa con una magdalena. La tarde se caracteriza por más de lo mismo. La recompensa por un día de trabajo duro a menudo consiste en postres llenos de azúcar por la noche.

¿Es de asombrar que los niños estadounidenses tengan sobrepeso cuando la persona promedio consume 22 (o más) cucharaditas de azúcar cada día? La obesidad infantil es el flagelo de la nación, y los adultos no se alimentan mejor. La mayoría de las personas no tiene conciencia de las grandes cantidades de azúcar que está comiendo porque el azúcar se halla escondida en sus alimentos. Estas cantidades excesivas de azúcar contribuyen a las cardiopatías, el derrame cerebral, el cáncer, la diabetes, la hipoglucemia y otros padecimientos. El consumo excesivo de azúcar también puede contribuir a la fatiga. Los problemas pueden agravarse por el consumo de carbohidratos refinados que el organismo rápidamente convierte en azúcar.

Algunos nutricionistas sugieren que una de las razones por la que muchos niños, jóvenes y adultos a menudo tienen hambre, y comen constantemente sin obtener saciedad, puede ser el resultado del "hambre oculta", las ansias del cuerpo por la comida saludable.

Si queremos reducir nuestro consumo de azúcar, ¿dejaremos de comer postres? Las recetas en esta sección presentan postres simples, deliciosos y saludables. No estoy sugiriendo que comamos estos postres todos los días. En nuestra familia, comemos postres ocasionalmente, sobre todo durante las fiestas y en ocasiones especiales, como los cumpleaños. Estas recetas de postres están basadas en cantidades moderadas de azúcares naturales como dátiles, miel, jarabe de arce 100 por ciento puro, o un poco de azúcar rubio.

Aunque las recetas contienen cantidades limitadas de azúcar natural, hice el esfuerzo de utilizar solo los ingredientes más puros y llenar estos postres con ingredientes nutritivamente densos. Hoy, la mayoría de los postres en el mercado contienen calorías vacías. Muchos están llenos de azúcar blanca, aditivos químicos y conservantes artificiales. Las recetas de este capítulo no contienen ninguno de esos productos químicos. Como resultado, su vida útil es mucho más corta. Pero en nuestro hogar no tenemos que preocuparnos de eso, porque mi familia los consume antes de que se echen a perder.

Incluso los postres saludables debe ser consumidos con moderación. Por eso, preparar la cantidad adecuada y comerlos solo ocasionalmente es importante para nuestra salud. En ocasiones especiales, prepara algunos postres simples y saludables para que tu familia los pruebe. Ellos pensarán que eres la persona más dulce del planeta.

Azúcar excesiva

- Debilita la habilidad de los glóbulos blancos para combatir enfermedades.

- Eleva las grasas en la sangre, lo que puede taponar las arterias.

- Reduce la vitamina B.

- Contribuye a la obesidad.

- Contribuye a una nutrición inadecuada causada por las calorías vacías.

- Favorece el deterioro de los dientes.

- Favorece la diabetes.

Barra de dátiles

½ taza de margarina (*Earth Balance*)

¼ taza de azúcar rubio

1 cdta. de sal

1 ½ taza de harina blanca

1 ½ taza de avena instantánea

2 cdas. de germen de trigo

½ taza de nueces picadas

1 cda. de agua

1 receta de relleno de dátiles

Relleno de dátiles:

4 tazas de dátiles (*Medjool*)

4 tazas de agua

Bate la margarina y el azúcar hasta que parezca una crema. Incorpora los ingredientes secos dentro de la mezcla cremosa. Agrega el agua y combina los ingredientes hasta que la mezcla se torne arenosa. Aplasta la mitad de la mezcla dentro de una fuente llana. Esparce el relleno de higos. Espolvorea el resto de la mezcla. Cocina a 350° F (175° C) durante media hora.

Relleno de dátiles: Mezcla los ingredientes en una cacerola. Cubre y cocina, revolviendo a menudo hasta que tenga la consistencia de una mermelada. Agrega más agua si es necesario.

Análisis nutricional (por porción: 1 barra - 1/32 receta): Calorías: 293; grasa total: 4 gr; grasa saturada: 1 gr; sodio: 80.9 mg; carbohidratos totales: 68.1 gr; fibra alimentaria: 5.9 gr; proteína: 2.2 gr.

Galletas de puré de manzanas

½ taza de aceite de oliva *light*

½ taza de azúcar rubio

1 taza de puré de manzanas

½ taza de frutos secos picados

½ cdta. de sal

1 cdta. de vainilla

4 tazas de avena instantánea

Bate el aceite y el azúcar hasta que estén bien integrados y se forme una mezcla cremosa. Agrega los ingredientes restantes. Mezcla bien. Coloca con una cucharita sobre una placa para galletitas aceitada. Hornea a 325° F (160° C) durante 20 a 25 minutos hasta que estén agradablemente doradas. Deja que se enfríen antes de removerlas de la placa.

Análisis nutricional (por porción: 1 galletita - 1/24 receta): Calorías: 128; grasa total: 7.3 gr; grasa saturada: 1 gr; sodio: 42.8 mg; carbohidratos totales: 14.9 gr; fibra alimentaria: 1.7 gr; proteína: 2 gr.

Parfait de fruta y yogur

1 (6 onzas) caja de yogur de soja (*Silk Live! Soy Yogurt*), de fresa
Frutillas
Bananas
Arándanos
Duraznos
Frambuesas
Nueces picadas

Extiende por capas el yogur, la fruta y los frutos secos. Cubre con crema de soja (página 28) y nueces.

Nota: También puedes sustituir el yogur por flan de tapioca (receta abajo).

Incorpora la cantida de fruta que desees.

Flan de tapioca

1/3 taza de castañas de cajú (anacardo)
3 tazas de leche de soja, dividida
¼ taza de jarabe de arce puro
¼ taza de tapioca instantánea
1 ½ cdta. de vainilla

Licúa las castañas de cajú en una taza de leche de soja hasta obtener una mezcla muy suave. Vierte la mezcla en una cacerola con las dos tazas de leche de soja restante. Agrega los ingredientes restantes y caliéntalo a punto de ebullición. Baja la temperatura y revuelve hasta que la tapioca haya espesado. Enfría y sirve con frutas en copas de postre.

Análisis nutricional (por porción: 1/8 receta): Calorías: 129; grasa total: 6 gr; grasa saturada: 1 gr; sodio: 40.2 mg; carbohidratos totales: 17.4 gr; fibra alimentaria: 0.2 gr; proteína: 2.8 gr.

Tarta de fresa fresca

5 tazas de frutillas frescas pequeñas, divididas
1 ½ taza de jugo de uva blanca
¼ a ½ taza de azúcar rubio
¼ taza de almidón de maíz o harina de tapioca
1 receta de masa de germen de trigo para tarta, horneada (ver receta abajo)

Análisis nutricional (por porción: 1 porción - 1/8 receta): Calorías: 221; grasa total: 7.7 gr; grasa saturada: 1 gr; sodio: 123.2 mg; carbohidratos totales: 37.2 gr; fibra alimentaria: 2.4 gr; proteína: 1.3 gr.

Corta en cuatro partes tres tazas de fresas. Colócalas en una cacerola con el jugo de uva blanca. Agrega el azúcar rubio y el almidón de maíz o la harina de tapioca. Cocina a temperatura media durante unos diez minutos hasta que el glaseado espese. Agrega las fresas enteras restantes al glaseado. Vierte sobre la tapa de tarta horneada. Enfría y sírvela con helado de soja o crema de soja.

Nota: Usa duraznos frescos para un pastel de duraznos frescos, o arándanos frescos para un pastel de arándanos frescos.

Masa de germen de trigo para tarta

2 tazas de harina blanca
¼ taza de germen de trigo
1 cdta. de sal
½ taza de agua hirviendo
½ taza de aceite de oliva light

Análisis nutricional (receta entera): Calorías: 1946; grasa total: 118.5 gr; grasa saturada: 16.5 gr; sodio: 1,885.8 mg; carbohidratos totales: 206.1 gr; fibra alimentaria: 7.5 gr; proteína: 6.7 gr.

Mezcla la harina, el germen de trigo y la sal. Agrega toda el agua y el aceite. Revuelve con un tenedor. Estira la masa entre dos láminas de papel manteca. Retira el papel manteca superior. Voltea la tapa para tarta sobre una tartera. Retira el papel manteca. Pellizca los bordes. Pincha la masa con un tenedor para prevenir que se infle mientras se hornea. Hornea a 425° F (220° F) durante quince minutos.

Nota: Algunas recetas requieren que la masa esté cruda.

Tarta de fresa helada

1 paquete de tofu extra firme de 16 onzas

2/3 taza de mermelada de fresa

2 tazas de frutillas congeladas

¼ taza de queso crema de tofu (*Tofutti Better Than Cream Cheese*)

¼ taza de crema agria (*Tofutti Sour Supreme*)

1 receta de masa de nuez para tarta (ver receta abajo) o una masa comprada de galletas integrales.

Licúa todos los ingredientes en la licuadora y vierte dentro de la tapa para tarta. Congela durante cuatro horas. El pastel debería ser puesto en la heladora justo antes de servir.

Análisis nutricional (por porción: 1 porción - 1/8 receta): Calorías: 302; grasa total: 16.8 gr; grasa saturada: 3.4 gr; sodio: 168.1 mg; carbohidratos totales: 31.2 gr; fibra alimentaria: 3.3 gr; proteína: 8.9 gr.

Masa de nuez para tarta

1 ½ taza de nueces finamente picadas

2 cdas. de azúcar rubio

½ cdta. de sal

3 cdas. de margarina (*Earth Balance*), derretida

Mezcla las nueces, el azúcar rubio y la sal. Muele hasta que tenga una textura fina. Mezcla la margarina derretida. Vierte sobre una tartera de nueve pulgadas. Presiona con los dedos sobre el fondo y los costados hasta formar una capa firme y pareja. Hornea a 350° F (175° F) durante diez minutos, hasta que esté dorada.

Análisis nutricional (receta entera): Calorías: 1,188; grasa total: 111.3 gr; grasa saturada: 19.4 gr; sodio: 1,313.1 mg; carbohidratos totales: 43.2 gr; fibra alimentaria: 8 gr; proteína: 18.3 gr.

Ocho secretos para un estilo de vida natural

Te gustaría aumentar tu esperanza de vida? ¿Qué precio pagarías por once felices y saludables años adicionales? Una creciente cantidad de evidencia científica demuestra que es posible vivir una vida más larga y saludable. Nuestra salud no es necesariamente un asunto del azar, pues el estilo de vida hace la diferencia. Un profesor de medicina dijo: "La genética carga el arma, el estilo de vida tira del gatillo". En los últimos años, diversas investigaciones han descubierto nueva evidencia de que las más importantes causas de muerte en nuestros días son, en gran medida, prevenibles. Estos estudios revelan los principios del estilo de vida que nos permiten vivir vidas más largas y saludables.

Un estudio de millones de dólares financiado por el Estado detalla los factores que posibilitan a una de las poblaciones más longevas del mundo, los adventistas del séptimo día, vivir una vida prolongada y saludable. En esta sección, daremos una visión general resumida de los ocho secretos de la longevidad que muchos de los adventistas del séptimo día practican. Encargarnos de nuestra salud y extender nuestra esperanza de vida no son tareas tan difíciles como imaginamos. Es cierto que hay una diferencia entre desear tener buena salud y lograr tener buena salud. Desear ser saludable y elegir ser saludable son dos cosas diferentes.

A medida que elijas hacerte cargo de tu salud, notarás cambios extraordinarios en muy poco tiempo. Los ocho secretos de salud, o principios de bienestar, delineados aquí no son una píldora mágica. No son un sustituto de las instrucciones de tu médico y no curarán cada enfermedad. Esto es lo que harán: Mejorarán tu calidad de vida, reducirán tu riesgo de enfermedades, y te proporcionarán la máxima posibilidad de una vida feliz y saludable.

Estos ocho principios naturales o leyes de la salud fueron delineados por Elena G. de White, una educadora de la salud del siglo XIX, cuyos conocimientos estaban muy adelantados a su tiempo. "El aire puro, el sol, la abstinencia, el descanso, el ejercicio, un régimen alimentario conveniente, el agua y la confianza en el poder divino son los verdaderos remedios" (*Consejos sobre la salud*, pp. 89, 90). Estos ocho principios de la vida y la salud podrían ser resumidos en la palabra bienestar. Agua, ejercicio, estilo de vida, amor, nutrición, medio ambiente, luz solar y descanso.

Estos principios no son complicados ni ambiguos, y proceden del Creador. Podemos rastrear estos principios atemporales hasta la creación del mundo. Aquel que nos creó sabe cómo conservarnos saludables. Al término de la creación, nuestro sapientísimo Hacedor nos dio los secretos de la longevidad y la felicidad.

Estos principios vivificantes están interrelacionados. Para alcanzar la salud óptima, es necesario aprovechar cada uno de ellos. Descuidar uno de estos principios o enfatizar uno por encima de otro reducirá los máximos resultados positivos. De hecho, puede ser nocivo para nuestra salud. Por ejemplo, ejercitarse excesivamente sin balancear el ejercicio con el descanso apropiado no es conveniente. Adoptar una dieta vegetariana adecuada sin equilibrarla con cantidades suficientes de agua no es bueno. La clave se halla en el equilibrio. A medida que pongamos en práctica los principios del Creador de una forma equilibrada, comenzaremos a ver resultados sorprendentes. Aunque estas leyes de salud son simples, el seguirlas no ocurre de forma natural. Para ponerlas en práctica se requiere disciplina. Puede llevarnos mucho trabajo revertir algunas de nuestras malas decisiones, porque los hábitos son difíciles de romper. Pero las recompensas que obtendremos valdrán la pena el esfuerzo. Elige el bienestar.

El agua

Nuestra salud depende de muchos factores, pero uno de los más importantes es el agua. Dios nos diseñó para utilizar agua a fin de limpiarnos por dentro y por fuera. El mejor purificador interno es el agua. Sus beneficios para la salud son mucho mayores que los de cualquier otra bebida. A menudo se les resta importancia a los beneficios de tomar agua a causa de la popularidad del alcohol, el café, el té y las bebidas carbonatadas. La mayoría de las personas no conoce las consecuencias de tomar cantidades insuficientes de agua pura y limpia.

¿POR QUÉ EL AGUA ES TAN IMPORTANTE?

La sangre está compuesta por casi un 90 por ciento de agua. Los músculos son un 75 por ciento agua; el cerebro es 85 por ciento agua. Para que los procesos de pensar y razonar sean lo más claro posibles, debemos tomar mucha agua. El cuerpo se deshace de los desechos tóxicos a través de los pulmones, la piel, los riñones y los intestinos. Todos estos sistemas dependen del agua para realizar sus funciones. El agua también participa en la purificación de nuestro suministro de sangre. La buena salud depende de tomar cantidades suficientes de agua.

Quizás estás seguro de que debes tomar agua, pero te estás preguntando, ¿cuánta debería tomar? ¿Has llevado alguna vez el registro de cuanta agua bebes cada día? Mantener un registro del consumo de agua que tomas es una de las formas más seguras de saber si estás tomando suficiente. Aunque los jugos, las bebidas carbonatadas, el café, y el té contienen agua, consumir estos productos no aporta los mismos beneficios que tomar agua. Los alimentos, especialmente las frutas, también contienen agua pero no deberían sustituir a los ocho vasos de agua que debemos tomar diariamente. El cuerpo utiliza el agua pura mucho más fácilmente que cualquier otra bebida. Otros líquidos no tienen el mismo efecto que el agua. El agua es la bebida perfecta, diseñada para nosotros por nuestro Creador. Examinemos detenidamente todos los beneficios de tomar agua pura.

BENEFICIOS DE TOMAR AGUA PURA

1. **Nos ayuda a estar saludables.** El agua pura es vital para la salud. Es la bebida que Dios ha provisto para saciar nuestra sed y conservarnos saludables. Tomar cantidades suficientes de agua ayuda a mantener hidratados nuestros sistemas, y contribuye a mantenernos a salvo de enfemedades.

2. **Ayuda a la digestión-reduce el riesgo de constipación.** El beber agua facilita la digestión, y junto con la fibra y participa en la eliminación de los desechos corporales.

3. **Nos ayuda a perder peso.** Tomar agua nos ayuda a mantener el peso ideal y también a perder peso, porque reduce el hambre. El agua es un inhibidor efectivo del apetito e induce a comer menos. El agua también participa en la eliminación del subproducto de la degradación de las grasas corporales. Otro beneficio del agua es que no contiene calorías. Quizás lo más sorprendente es la evidencia de que tomar una pinta o más de agua pura cada día puede aumentar el metabolismo, y contribuir aun más a la pérdida de peso.

4. **Ayuda a mitigar los dolores de cabeza.** Tomar suficiente agua ayuda a aliviar los dolores de cabeza causados por la deshidratación. Aunque hay muchas otras causas del dolor de cabeza, la deshidratación es una de las causas comunes.

5. **Ayuda a aliviar la fatiga.** El agua es utilizada por el cuerpo para eliminar toxinas y otros desperdicios. La hidratación insuficiente puede contribuir a la falta de energía.

6. **Nos ayuda a vernos más jóvenes y con una piel más saludable.** Cuando nuestra piel es hidratada correctamente nos vemos más jóvenes. El agua ayuda a reponer tejido, hidrata e incrementa la elasticidad de la piel.

7. **Ayuda a mejorar la memoria.** El cerebro está compuesto de un 85 por ciento de agua. Tomar agua nos ayuda a pensar mejor, a estar más alerta y a concentrarnos más.

8. **Ayuda a aumentar la energía para ejercitarnos más.** Tomar agua nos ayuda a regular la temperatura de nuestro cuerpo y, por lo tanto, a prolongar la cantidad de ejercicio.

9. **Ayuda a reducir el riesgo de cáncer.** Según el resultado de algunas investigaciones, tomar suficientes cantidades de agua puede reducir el riesgo de cáncer de vejiga, mama y colon.

10. **Ayuda a tener una actitud positiva.** Aunque

muchas personas reconocen la importancia de beber suficientes cantidades de agua para tener una salud física óptima, puede ser que estén deshidratados y no se den cuenta. En un estudio que realizó la Universidad de Tufts en 2009 encontraron que la falta de agua también tiene un impacto en el estado de ánimo. Se realizó un estudio con 31 hombres y mujeres estudiantes y atletas, quienes realizaron actividades aeróbicas de alto impacto durante 60 a 75 minutos estando moderadamente deshidratados. Estos estudiantes informaron que se sintieron más cansados, depresivos, confusos, tensionados y enojados que quienes tomaron cantidades suficientes de agua y participaron en actividades similares. Tomar suficiente cantidad de agua nos ayudará a mejorar nuestras actitudes (Rosalie Marion Bliss, "Dehydration Affects Mood, Not Just Motor Skills," November 23, 2009).

Para mantenernos saludables, necesitamos beber por lo menos ocho vasos de agua de ocho onzas cada día. Es mejor evitar tomar agua durante las comidas para que los jugos digestivos del estómago no sean diluidos y se retrase el vaciado del estómago. Esta demora en el vaciado del estómago puede contribuir a la acidez y el reflujo. La dilución de la comida con agua también reduce la satisfacción que obtenemos al masticar los alimentos, por ello aumenta el riesgo de comer de más. La regla básica que funciona para la mayoría de las personas es esta: Evita tomar agua a partir de quince minutos antes de las comidas, y espera una hora después de cada comida.

LA IMPORTANCIA DEL AGUA POR FUERA

El agua utilizada por afuera del cuerpo es curativa, rejuvenecedora, purificadora, relajante, reconfortante y restauradora. Tomar un baño diario es esencial para tener buena salud.

La piel, el órgano más grande del cuerpo, libera a través de los poros algunos de los desechos químicos que el cuerpo genera. El agua libra a la piel de esas impurezas. La piel no solo excreta toxinas, sino que cuando está expuesta a toxinas y sustancias contaminantes puede absorberlas. Si las secreciones oleosas no son removidas diariamente, los poros pueden quedar tapados. El agua es el elemento natural de limpieza que remueve esas impurezas y mejora la calidad de nuestra salud.

Los beneficios del baño están explicados en la siguiente cita de Elena de G. White: "Aplicada externamente, es uno de los medios más sencillos y eficaces para regularizar la circulación de la sangre… los baños calientes y templados calman los nervios y regulan la circulación. Pero son muchos los que no han experimentado nunca los benéficos efectos del uso adecuado del agua, y le tienen miedo" (*El ministerio de curación*, p. 181).

Una ducha o baño todos los días, dependiendo del momento del día y de la temperatura del agua, puede mejorar la circulación, reconfortar los nervios, ayudar a obtener un mejor descanso, y limpiar el cuerpo de impurezas. Aplica agua al cuerpo. ¡Te sentirás mejor!

COSECHANDO LOS RESULTADOS

Considera todos los beneficios de utilizar agua tanto por dentro como por fuera de tu cuerpo. Asegúrate de tomar cantidades suficientes de agua cada día. La mejor salud que puedas disfrutar depende parcialmente del uso apropiado del agua. Es una de las grandes bendiciones del Creador. Él colocó a nuestros primeros padres en un jardín que contenía un río magnífico con cuatro brazos que proporcionaban vida al proveer agua refrescante a la tierra. Si perseveramos en la obediencia de las leyes de la naturaleza, obtendremos la salud del cuerpo, la mente y el alma.

El ejercicio físico

Dios nos diseñó para ser activos físicamente. Los beneficios de un estilo de vida activo son abundantes. Podemos disfrutar de una mejor salud y una vida prolongada si hacemos ejercicio regular y sistemático. Muchas personas tienen un estilo de vida sedentario, sobre todo en los países desarrollados. La tendencia es manejar más que caminar. Muchos empleos requieren poco o ningún ejercicio físico. Frecuentemente nos sentamos en frente del televisor o la pantalla de la computadora. El único ejercicio de muchos consiste en correr a la heladera para tomar un bocadillo durante la tanda publicitaria y apretar el botón del control remoto para cambiar los canales.

¿Qué sucede cuando no hacemos ejercicio? Los estudios demuestran que la inactividad incrementa la tasa de enfermedades degenerativas. La inactividad está asociada con un aumento de cardiopatías, cáncer, osteoporosis, ansiedad, y depresión. En cambio, el ejercicio aporta resistencia, fuerza muscular, flexibilidad, y buena resistencia cardiorrespiratoria. Tenemos más de seiscientos músculos, los que proporcionan más de un tercio de la masa muscular. Cuando nos ejercitamos, esos músculos se extienden y se fortalecen, y el ejercicio provee una sensación de bienestar.

BENEFICIOS DEL EJERCICIO FÍSICO REGULAR

· Incrementa la fuerza y la resistencia.
· Reduce el riesgo de enfermedades cardiovasculares.
· Ayuda a mantener baja la presión arterial.
· Incrementa la densidad de los huesos.
· Refuerza el sistema inmunológico.
· Ayuda en la pérdida de peso.
· Reduce la tension.
· Mejora el cutis.
· Promueve el sueño.
· Mejora la circulación.
· Reduce la depresión.
· Ayuda a la digestion.
· Aumenta la longevidad.

La actividad física mejora la calidad de vida en general. Nos ayuda a estar en forma y a ser más productivos. También ha sido demostrado que el ejercicio mejora la memoria a corto plazo, la comprensión y el tiempo de reacción mental.

TRES TIPOS DE EJERCICIO

1. Aeróbico o de resistencia. Estos ejercicios benefician el corazón y los pulmones. Los ejercicios aeróbicos incluyen una variedad de actividades tales como correr, cuidar el jardín, la caminata energética, la natación y el ciclismo. Una estrategia buena y sostenible a través del tiempo es, para la mayoría de las personas, ejercitarse al menos treinta minutos todos los días. La buena noticia es que estar en forma no tiene que ser costoso. La mayoría de los ejercicios aeróbicos no requiere equipos especiales, solo ropa adecuada y el calzado apropiado.

2. Ejercicios de flexibilidad-elongación. Asegúrate de hacer ejercicios de flexibilidad. Los entrenadores recomendaban elongar antes de hacer ejercicio aeróbico; sin embargo, para muchas personas es mejor hacer alguna actividad para calentar los músculos antes de elongar.

3. Desarrollo de la fuerza. El levantamiento de pesas y las labores físicas pesadas ayudan a aumentar la masa muscular.

¿Por qué no comenzar con tu plan de entrenamiento hoy? Elige una actividad que disfrutes. Asegúrate de consultar a tu médico de cabecera antes de comenzar cualquier régimen de ejercicios regular. Esto es especialmente importante si tienes alguna debilidad física o una condición desventajosa específica.

El estilo de vida

Desde que despertamos hasta que nos vamos a dormir por la noche, estamos tomando decisiones. Las decisiones de hoy determinarán la salud de mañana, así como las decisiones de ayer impactan hoy nuestra salud. Nunca es tarde para comenzar a tomar decisiones positivas. Una cosa es cierta. Nadie puede tomar por nosotros las decisiones respecto al estilo de vida. La llave del destino de nuestra salud está en nuestras manos.

Nuestros primeros padres fueron creados para vivir por siempre. En su hogar edénico Dios puso todos los elementos necesarios para la buena salud.

Ahí ellos vivían en perfecta armonía con las leyes de la naturaleza. Pero a causa de su pecado, sus vidas perdieron el equilibrio. Ahora nuestro vigor depende de vivir en equilibrio saludable. Cualquier lesión disminuye la energía física y tiende a debilitar los poderes mentales y morales. Podemos definir a la temperancia como "la abstención de las cosas dañinas para el cuerpo y el uso moderado de las cosas buenas". Los principios de salud que hemos analizado son todos principios positivos. Y este principio, el del estilo de vida, combina la abstención de lo que no hay que hacer con lo que hay que hacer con medida.

Una antigua prescripción bíblica expresa: "¿Ignoráis que… no sois vuestros? Porque habéis sido comprados por precio; glorificad, pues, a Dios en vuestro cuerpo" (1 Corintios 6:19, 20). Reconocer que nuestro cuerpo es un templo de Dios proporciona la motivación para mantenerlo saludable al máximo. Honramos a Dios cuando vivimos en armonía con las leyes de la salud que él ha prescrito. Cuando nos abstenemos de prácticas destructivas de la salud y de adicciones como el alcoholismo, el tabaquismo y la drogadicción, o como la promiscuidad sexual, honramos a Dios. No deberíamos satisfacer hábitos que perjudican el cuerpo y la mente. Ahora quisiera darte algunos ejemplos de prácticas que forman parte de un estilo de vida poco saludable que están matando a millones de personas.

FUMAR

El tabaquismo es hoy la causa número uno de muerte prevenible en los Estados Unidos y en otros países. Más de cuarenta millones de estadounidenses fuman, y millones más alrededor del mundo hacen lo mismo. Innumerables estudios científicos puntualizan los grandes beneficios que una persona obtiene cuando deja de fumar, pues la salud mejora, y el riesgo de muerte prematura por enfermedades disminuye. Los estudios revelan que quienes fuman más de un paquete al día tienen una tasa de muerte dos veces y media más alta que quienes no fuman. El riesgo se reduce mucho cuando el adicto deja de fumar. Los beneficios más dramáticos se manifiestan en la disminución de tasas de muerte por cáncer de pulmón. Solo en los Estados Unidos, 430.000 personas mueren cada año por enfermedades relacionadas con el cigarrillo, aun los que fuman de manera pasiva. También los fumadores consumen más café, alcohol y drogas dañinas que los no fumadores. Además, toman más antibióticos, analgésicos, sedantes, tranquilizantes y pastillas para dormir que los no fumadores.

En resumen, con el abandono del tabaco el organismo gana en resistencia física y en el sentimiento de bienestar, junto con una gran reducción del riesgo de cardiopatías, cáncer de pulmón y muerte prematura. ¡Pero eso no es todo! La comida tendrá un mejor sabor, y el aliento será más dulce. Y considera el ahorro financiero. Todo esto lleva al hecho de que tu vida será más feliz, y es probable que vivas más tiempo para disfrutarla.

PRINCIPIOS PARA DEJAR DE FUMAR

Primero que nada, tienes que decidir dejar de fumar. Una vez que hayas tomado esa decisión fundamental, la siguiente guía te ayudará.

1. **Decide no fumar.** "Decido no fumar". Este deseo va a ser el poder que gobierne todas las otras facultades. Es el poder de decisión o elección. Cuando el fumador decide dejar de fumar de manera positiva y decidida, y se considera capaz de hacerlo, su mente libera químicos que ayudan a resistir las ansias de fumar.

2. **Báñate frecuentemente.** Esto ayudará a remover los venenos y el olor excretado a través de los poros. Para aliviar el deseo intenso de fumar, puede ser que encuentres de gran ayuda tomar una ducha caliente seguida de una fría.

3. **Bebe como mínimo 8 a 10 vasos de agua cada día.** Además de saciar la sed, el agua diluye los venenos y aliviana el trabajo de los riñones. Esto ayudará a eliminar las sustancias adictivas de la nicotina.

4. **Planifica diariamente tus horarios de comidas, descanso, y las actividades más importantes.** Sigue tu agenda. Te ayudará a resistir las ansias de fumar.

5. **No descanses después de comer.** En vez de relajarte en tu silla favorita después de comer, sal a caminar. Será importante romper con tu rutina de fumador y establecer algunos nuevos patrones positivos de conducta.

6. **Evita las bebidas que contienen alcohol, cafeína y otros estimulantes.** La cafeína y la nicotina pertenecen a la misma categoría de estimulantes. Estos "primos" en la adicción incrementan el deseo de fumar.

7. **No comas alimentos sazonados, comidas fritas o altas en azúcar.** De acuerdo con la Sociedad Estadounidense del Cáncer muchos fumadores han descubierto que comer alimentos sazonados y dulces aumenta las ansias de fumar.

8. **Come todo lo que desees de frutas, granos, verduras y algunos frutos secos.** Te recomiendo que durante los primeros días comas muchas frutas y jugos de fruta. Esto tendrá un efecto de purificación del sistema.

9. **Respira profundo.** La respiración serena y profunda relajará tu cuerpo y tu mente.

10. **¡Pídele a Dios que te ayude!** ¡Él te ayudará! Si confías en Dios y le pides fuerza, él ha prometido ayudarte. El apóstol Pablo dice: "Todo lo puedo en

Cristo que me fortalece" (Filipenses 4:13). San Pablo no dice: "Todo lo puedo, excepto dejar de fumar, en Cristo que me fortalece". No. El poder de Dios es mayor que el poder de la nicotina. Entrégale tu adicción al tabaco. Bebe suficiente agua. Respira profundo. Ora, y por fe acepta la victoria que él te concede.

LAS BEBIDAS ALCOHÓLICAS

El consumo de alcohol tiene consecuencias sociales enormes. Incluso, el poder "manejar" por muchos años el consumo de alcohol al beber solo en actividades sociales, no te garantiza que nunca entres en las filas de millones que han tenido serios problemas sociales, legales, emocionales o físicos por tomar alcohol. El alcohol es un conocido tóxico para el cerebro y el intestino. Quizás, el dato reciente más aleccionador es que no hay cantidad segura de alcohol cuando de prevención del cáncer se trata. Una creciente cantidad de investigaciones (incluyendo el informe de la *Revista Médica Británica* de abril de 2011 sobre la investigación desde una perspectiva europea del estudio del cáncer y la nutrición) asevera que incluso tomar alcohol en ocasionales eventos sociales incrementa el riesgo de cáncer como muerte por otra causa.

El *Libro de Medicina de Oxford* estima que el seis por ciento de las muertes de cáncer en Inglaterra son causadas por el alcohol. Y todas esas muertes pueden ser evitadas. Recientes investigaciones de organizaciones de salud internacional, incluyendo la Organización Mundial de la Salud, concuerdan en que el alcohol puede causar una variedad de cánceres (Washington, DC: Instituto Estadounidense de Investigación del Cáncer, pp. 37-145).

Por encima de todo esto, el consumo moderado de alcohol, nos demos cuenta o no, casi siempre afecta el razonamiento, la consciencia y el juicio en algún grado. Por ejemplo, estudiantes de Medicina a los que les dieron algunos tragos antes de sus exámenes pensaron que les había ido bien, cuando en realidad les había ido muy mal. Piensa en las incontables veces en las que la gente ha tomado malas decisiones bajo la influencia del alcohol y cuánta avergüenza han pasado. Si deseas tener la sabiduría para hacer las mejores elecciones morales posibles, evita el alcohol.

LAS DROGAS NOCIVAS

Numerosos investigadores médicos han concluido que las drogas ilegales destruyen el sistema nervioso central. Las drogas proporcionan una ilusión de placer mientras desgarran el sistema nervioso e impactan negativamente en la salud y el bienestar corporal. Esas drogas ilegales proporcionan una alegría artificial que deja deprimido al usuario cuando el efecto ha pasado. Las drogas no formaban parte del plan del Creador para una vida de calidad.

LAS BEBIDAS CON CAFEÍNA

El café y el té son bebidas populares, sin embargo la cafeína que contienen ha sido asociada a un número de significativos riesgos para la salud, incluyendo palpitaciones, incremento de niveles hormonales, elevación del azúcar en la sangre, y dificultad para dormir. Por contraste, algunas infusiones de hierbas parecen ser beneficiosas para la salud. Puede ser difícil, pero nos conviene dejar de tomar bebidas con cafeína.

UNA VIDA EQUILIBRADA Y MODERADA

Homeostasis es el término usado para referirse a nuestros cuerpos cuando están en equilibrio. Nuestro organismo busca este equilibrio. Clama por suficiente ejercicio, abundante agua, una dieta vegetariana, descanso, aire puro, y tiempo al aire libre bajo la luz del sol. Cuando nos falta alguno de estos recursos, el bienestar disminuye. Esta falta de *homeostasis* nos hace susceptibles a enfermedades. Cuando les proporcionamos a nuestros cuerpos los elementos que necesitan para estar saludables, alcanzan este estado de equilibrio, y nosotros prosperamos.

El amor

Una definición de amor simple y común es "afecto profundamente tierno y pasional por otra persona; un sentimiento de apego personal cariñoso o profundo afecto, por un padre, hijo o amigo".

Una definición más profunda, más en armonía con el concepto bíblico del amor, podría ser: "El amor es el compromiso de siempre buscar, sin egoísmo, lo mejor para los otros". Tratar a todos con bondad, respeto, y amabilidad a pesar de sus actitudes hacia nosotros, es una decisión que debemos tomar. Puede incluir o no un sentimiento de ternura y afecto. En otras palabras, el verdadero amor no depende de sentimientos de afecto. En su esencia, el amor es una elección continua de tratar a los otros de la forma que nos gusta que nos traten. Se enfoca en el aspecto externo en vez del interno. Es abnegado más que egocéntrico. El amor bíblico no es ensimismado. Sale hacia el exterior. Considera las necesidades de los otros antes que las propias. No depende de la acción de los otros hacia nosotros.

Este amor incondicional fluye del corazón de Dios. No se origina en nosotros. Este amor tiene poderes curativos inusuales. Estudios recientes han mostrado que tener una fe sólida y relaciones interpersonales cercanas es benéfico no solo para nuestra salud mental y emocional, sino también para la salud física. Algunas autoridades han ido más lejos y han declarado que el amor es la fuerza de curación más poderosa del planeta. Las propiedades curativas del amor pueden transformar nuestra salud física y también la emocional.

El amor también se expresa por medio de la compasión, el entendimiento y el afecto, de la gratitud, la empatía y la educación, del respeto, la reverencia y la confianza. Jesús dijo: "Amarás a tu prójimo como a ti mismo" (S. Mateo 22:39). Este no es un cliché religioso. Es una receta para la salud integral de la persona.

Las relaciones amorosas forman parte de un estilo de vida saludable. El amor es un regalo de Dios que tiene un prodigioso poder de curación. Amar a Dios y a las personas que nos rodean es vivificante. Uno de los pasajes bíblicos más conocidos dice: "Porque de tal manera amó Dios al mundo, que ha dado a su Hijo unigénito, para que todo aquel que en el cree, no pierda mas tenga vida eterna" (Juan 3:16). Este versículo describe a un Dios amoroso en el que podemos confiar. Podemos depositar nuestra completa confianza en el Dios del universo.

La salud mejora cuando confiamos en el amor incondicional de Dios. Recibir ese amor nos ayuda a apaciguar el estrés, y a mejorar nuestro sistema immunológico. Una investigación de la Universidad Duke en 577 hombres y mujeres hospitalizados debido a enfermedades físicas, demostró que los pacientes que utilizaban estrategias religiosas positivas para hacerle frente a su enfermedad (buscando apoyo espiritual de amigos y líderes religiosos, teniendo fe en Dios y orando), tenían un menor nivel de síntomas depresivos y mejor calidad de vida (*Revista de trastornos mentales y nerviosos*, 1998).

Amar a Dios y confiar en él requiere conocerlo como Amigo para poder confiarle nuestros problemas, preocupaciones, y ansiedades. Incluye la garantía de que él guiará nuestras vidas. Cuando sentimos las cargas y el estrés, amar a Dios y confiar en él nos permite experimentar su poder divino para reducir la ansiedad y aumentar la serenidad. Amar a Dios y confiar en él es el antídoto para las propiedades destructivas del miedo, pues nos guía del temor a la fe. Pon atención a la garantía que nos da el profeta Isaías: "Tú guardarás en completa paz a aquel cuyo pensamiento en ti persevera; porque en ti ha confiado" (Isaías 26:3).

La confianza en Dios afecta nuestra salud de manera positiva. Dios ha prometido suplir todas nuestras necesidades. En este mundo de confusión y dificultad, estamos rodeados de desafíos. Por momentos los desafíos son mínimos, pero a veces son abrumadores. La confianza en Dios puede tener un efecto profundo en nuestra salud. Elena G. de White, una prolífica escritora en salud física y espiritual escribió: "El valor, la esperanza, la fe, la simpatía y el amor fomentan la salud y alargan la vida" (*El ministerio de curación*, p. 185). Con toda la incertidumbre del mundo de hoy, la fe y la confianza en un Dios amante hace una diferencia maravillosa sobre la salud integral.

Aprender a tener fe y confianza es un proceso. Aquí hay algunos pasos simples para desarrollar una mayor confianza en Dios.

EL DESARROLLO DE LA CONFIANZA EN DIOS

Cuanto más conozcamos a Dios, más confiaremos en él. La fe consiste en confiar en Dios como en un Amigo. Es imposible confiar en alguien que no conoces. El profeta Jeremías cita la promesa de Dios: "Y me buscaréis y me hallaréis, porque me buscaréis de todo vuestro corazón" (Jeremías 29:13). Dios se revela a sí mismo a aquellos que lo buscan. El apóstol Pablo agrega: "Así que la fe es por el oír, y el oír, por la palabra de Dios" (Rom. 10:17). Nuestra fe se desarrolla a medida que conocemos a Dios por medio del estudio de su Palabra. Si quieres fortalecer tu fe, profundizar tu confianza, e incrementar tu amor por Dios, lee la Biblia. Quizás quieras comenzar con el libro de los Salmos o los cuatro evangelios: Mateo, Marcos, Lucas y Juan. A medida que vayas leyendo, tu confianza en Dios aumentará. Lo que él ha hecho por otros, lo hará también por ti.

Las investigaciones médicas confirman el hecho de que la religión tiene una correlación positiva con la salud personal. El Proyecto Israelí sobre Isquemia Cardíaca estudió a 3.900 hombres judíos en once comunidades israelitas durante dieciséis años. Algunas de las comunidades eran religiosas, y otras eran seculares. La diferencia significativa entre las comunidades no era sobre principios básicos de salud, sino sobre creencias y prácticas religiosas. Encontraron que los hombres de las comunidades religiosas judías tenían la mitad de tasas de mortalidad que los hombres de las comunidades seculares. Los investigadores atribuyeron esto al hecho de que los judíos conservadores tienden a orar tres veces al día y participan de servicios religiosos cada semana durante el sábado (*Revista de enfermedades crónicas*, 1972, vol. 25, pp. 665-672).

En el Salmo 46:10, David cita a Dios cuando dice: "Estad quietos, y conoced que yo soy Dios". E Isaías agrega: "En descanso y en reposo seréis salvos; en quietud y en confianza será vuestra fortaleza" (Isaías 30:15). Mientras descansamos en su amor y afecto, confiando en su conducción, la paz inundará nuestros corazones. ¿Por qué no tratar de pasar un rato cada día orando y meditando en la bondad de Dios? Recuerda diariamente que a Dios le importa. Él está interesado en tu bienestar y anhela que experimentes la vida en toda su abundancia.

La nutrición

¡Somos lo que comemos! Dios diseñó los mejores alimentos para nosotros a fin de que comamos y sustentemos nuestra vida y mantengamos la salud. Él nos dio frutas, frutos secos, granos y verduras que originalmente contenían en equilibrio perfecto las vitaminas, minerales, proteínas e hidratos de carbono que el cuerpo necesitaba. En el principio, Dios creó la dieta ideal para Adán y Eva. Él quería lo mejor para ellos. En Génesis 1:29 leemos: "Y dijo Dios: He aquí que os he dado toda planta que da semilla, que está sobre toda la tierra, y todo árbol en que hay fruto y que da semilla; os serán para comer".

Una dieta de frutas, frutos secos, granos y verduras ha sido confirmada por la ciencia moderna como una de las formas más efectivas y económicas de evitar las cardiopatías, la obesidad, el derrame cerebral y el cáncer. El consumo de alimentos tal como Dios los creó, restaura nuestra salud y reconstruye nuestras células. Por otra parte, una dieta pobre consistente en alimentos "chatarra" y azucarados, abundante sal y grasa de origen animal le hará pagar el precio incluso al más fuerte. Tanto la superabundancia de calorías vacías que conducen a la obesidad o la falta de nutrientes básicos pueden crear problemas de salud.

Las enfermedades propias de una nutrición pobre no ocurren de un día para otro. Las enfermedades degenerativas, como las cardiopatías, el derrame cerebral, el cáncer y la diabetes pueden llevar años en desarrollarse.

El organismo tiene una habilidad asombrosa para absorber cualquier nutriente que contiene los alimentos que comemos y usarlos para nuestro beneficio. Por esta razón, un número creciente de profesionales de la salud aboga por una dieta vegetariana rica en nutrientes como la estrategia óptima para una buena salud.

Echemos un vistazo a cuatro componentes de los alimentos:

1. **Vitaminas y minerales.** Estamos familiarizados con las vitaminas A, C, y D y con minerales tales como el calcio, el hierro, y el zinc. Durante años las marinas mercantes de Gran Bretaña, Holanda, Portugal, y España navegaron en mar abierto. En esos días, la importancia de las vitaminas y los minerales para el bienestar nutricional eran desconocidos. El suministro de alimentos en estos barcos de madera estaba limitado a filete deshidratado, cerdo salado y galletas duras remojadas en mucho ron y cerveza. La falta de frutas y verduras produjo entre los pasajeros y la tripulación el padecimiento llamado escorbuto. En 1747, el doctor James Lind, un cirujano británico

naval que viajaba en el HMS Salisbury, hizo un gran descubrimiento. Agregó el jugo de dos naranjas y un limón cada día a la dieta de los marineros. Años después los investigadores descubrieron que la vitamina C en esas frutas había curado el escorbuto. Este es solo un ejemplo del beneficio protector de las frutas, los frutos secos, los granos y las verduras. Se los llama "alimentos protectores" porque previenen muchas de las enfermedades degenerativas que plagan nuestra sociedad en el siglo XXI.

2. Los hidratos de carbono incluyen azúcares, una amplia variedad de almidones, y fibra alimentaria. Los carbohidratos son el principal combustible que nos provee de energía para trabajar o jugar. En la naturaleza, los azúcares se encuentran en abundancia en las frutas. Los almidones provienen de las verduras y los granos. Durante siglos, los cereales han sido considerados "lo esencial de la vida". Más recientemente, los nutricionistas descubrieron la importancia de la fibra alimentaria. La fibra reduce el riesgo de enfermedad cardíaca coronaria, cáncer del colon y del recto, diabetes, obesidad y constipación. Las carnes y otros alimentos de origen animal, como la leche y los huevos, no contienen fibra alimentaria y contienen muy poco azúcar y almidón. Para obtener hidratos de carbono suficientes debemos volver a consumir alimentos de origen vegetal.

3. Las grasas y los aceites provienen tanto de plantas como de fuentes animales. Las grasas poco saludables tienden a estar en estado sólido a temperatura ambiente, lo cual indica que son principalmente grasas saturadas o trans (parcialmente hidrogenadas). En cambio, las grasas más saludables tienden a ser líquidas a temperatura ambiente. Muchos expertos creen que es mejor consumir la mayor parte de las grasas en estado natural en los alimentos vegetales, en vez de consumir el aceite extraído de estas. Por ejemplo, elige el maíz o la mazorca de maíz en vez de utilizar el aceite de maíz. Los alimentos de origen animal contienen grasas saturadas y colesterol. En cambio, los alimentos de origen vegetal no contienen colesterol y son bajos en contenido graso (con algunas excepciones como las aceitunas, los aguacates, los frutos secos y las semillas).

4. Proteínas. Muchas personas eligen su dieta como si consideraran que el nutriente más importante fuera la proteína. Pero antes de discutir si esta es una práctica inteligente, evaluemos lo que son las proteínas. Las proteínas están formadas por aminoácidos. Una analogía útil sería que las palabras están formadas por una combinación de varias letras del alfabeto. El vasto número de palabras que pueden formarse con las 29 letras del alfabeto nos da solo una ligera idea del número aparentemente infinito de proteínas que se pueden ensamblar con los 20 aminoácidos más comunes. Los aminoácidos son críticos para la vida. Una de sus funciones principales es asistir en el metabolismo del cuerpo. Otra de sus funciones es servir como los ladrillos que forman las proteínas, las que son cadenas de aminoácidos. De los 20 aminoácidos comunes, ocho se denominan aminoácidos esenciales porque no pueden ser sintetizados por el organismo en la cantidad que necesita para su desarrollo. Deben obtenerse de los alimentos. Las investigaciones han demostrado que una dieta vegetariana que contiene calorías suficientes y una amplia variedad de frutas, frutos secos y semillas, granos, y verduras, provee todos los aminoácidos esenciales para construir proteínas de calidad.

El consumo de proteínas vegetales nos proporciona beneficios significativos, como disminuir nuestro colesterol malo (LDL). La proteína animal –aun luego de extraerle la grasa saturada y el colesterol que generalmente la acompaña— hace lo contrario. Podemos concluir con certeza que los alimentos de origen vegetal: frutas, frutos secos, granos, legumbres y verduras, nos proveen todas las vitaminas, minerales, hidratos de carbono, grasas y proteínas para nuestras necesidades nutricionales.

Una dieta vegetariana bien seleccionada contiene numerosos beneficios para la salud.
· Baja el colesterol en la sangre.
· Disminuye la mayoría de los tipos de alta presión arterial.
· Reduce el riesgo de cardiopatías.
· Reduce el riesgo de padecer ciertos tipos de cáncer.
· Reduce el riesgo de padecer osteoporosis.
· Mejora la condición de los diabéticos.
· Aumenta la energía.
· Reduce la constipación.
· Incrementa la resistencia física.
· Aumenta la esperanza de vida.
Estas diez ventajas de una dieta vegetariana son

incentivos poderosos para alimentarte bien. Para ayudarte a experimentar estos beneficios, he incluido las "Siete reglas de oro de la buena nutrición". Estos principios pueden servir como una guía confiable para tomar las mejores decisiones respecto a los alimentos y planificar tus menús.

Siete reglas de oro para la buena nutrición

1. Adopta una dieta vegetariana. No debes preocuparte por obtener suficiente proteína si te alimentas con una amplia variedad de frutas, frutos secos, granos y verduras. Los alimentos de origen vegetal proveen vitaminas y minerales, carbohidratos y fibra en abundancia.

2. Reduce el consumo de grasa y colesterol. La manera más simple de lograro consiste en reducir el consumo de carnes, comidas fritas, margarinas y productos lácteos.

3. Reduce el consumo de azúcar. Cada día, los estadounidenses consumen más del doble del límite superior de azúcar recomendado, y eso que muchos expertos juzgan estas recomendaciones como demasiado permisivas. Hay grandes cantidades de azúcar ocultas en los cereales para el desayuno, las bebidas carbonatadas y los postres refinados. La mejor forma de evitar estas masivas cantidades de azúcar es reducir el número de alimentos preparados en tu dieta. Elimina las bebidas carbonatadas y evita los cereales y los postres cargados de azúcar. Es muy sencillo. Solo consume alimentos en su estado natural tanto como sea posible.

4. Reduce el consumo de sal. No es fácil reducir el consumo de sal; pero estos consejos te ayudarán.
· Reduce tu consumo de sal gradualmente.
· Comienza probando la comida de tu plato antes de salarla automáticamente.
· Esfuérzate por omitir la sal en ciertas comidas. Cuando cocinas u horneas, reduce la cantidad de sal requerida en la receta. En este libro he usado cantidades moderadas de sal como saborizante, así que no es necesario reducir las cantidades especificadas en cada receta. Sin embargo, puedes eliminar la sal si así lo deseas.

5. Aumenta el consumo de frutas, verduras, frutos secos y granos enteros. Es imperativo obtener suficientes cantidades de vitaminas y minerales. Si consumes una amplia variedad de estos alimentos naturales o "enteros", no solo recibirás nutrientes suficientes, también obtendrás la fibra y el salvado necesarios para mantener saludable tu sistema digestivo. Si te alimentas de esta forma serás capaz de manejar los factores estresantes de tu vida.

En 1906, Elena G. de White escribió: "Los cereales, las frutas carnosas, las oleaginosas y las legumbres constituyen el alimento escogido para nosotros por el Creador. Preparados del modo más sencillo y natural posible, son los comestibles más sanos y nutritivos. Comunican una fuerza, una resistencia y un vigor intelectual que no pueden obtenerse de un régimen alimenticio más complejo y estimulante" (*Consejos sobre el régimen alimenticio*, p. 481).

6. Desayuna en forma abundante. Un viejo dicho describe cómo planificar de la mejor manera nuestro menú diario: "Desayuna como rey. Almuerza como príncipe. Cena como mendigo". Estudios recientes revelan que las personas que desayunan bien tienen mejor salud física, viven más, y están más alerta que quienes no desayunan. Si tomas un desayuno nutritivo serás más eficiente en la resolución de problemas, tendrás un período de atención mayor, y mejor memoria. Levantarse un poquito más temprano para desayunar bien vale la pena.

7. No comas entre horas para darle al cuerpo la oportunidad de digerir apropiadamente los alimentos de la comida pasada. Aunque el "picoteo" durante el día se ha vuelto muy popular en muchos círculos, algunos expertos sugieren que nuestro sistema digestivo funciona mejor con por lo menos cinco horas de espacio entre las comidas. Toma la mayoría de los alimentos temprano. Las personas que comen antes de irse a la cama tienden a tener una mayor tasa de obesidad. La indigestión a la hora de dormir también puede contribuir a la falta de descanso y sueño. Este es un horario práctico para planificar las comidas.
· Toma tres comidas en horarios regulares.
· Comienza con un desayuno abundante y nutritivo. Después del ayuno de la noche, el cuerpo está listo para una comida sustanciosa.
· Toma otra comida importante en la mitad del día o temprano en la tarde.
· Toma una comida ligera cuando anochece. Si estás tratando de adelgazar, puedes encontrar que saltearse esta comida es una mejor estrategia. De cualquier forma, una comida ligera o no comer por la noche generalmente ayuda a dormir

mejor y produce un mayor apetito para un buen desayuno en la mañana siguiente.

El acto de alimentarse debe ser un deleite. Cuanto más saludable comas, más aprenderás a disfrutar de la comida saludable, y vivirás más para continuar disfrutándola. Comienza a incorporar en tu dieta habitual las recetas nutritivas y sabrosas de este libro.

El medio ambiente

(aire puro y respiración correcta)

El entorno del Edén era perfecto. Nuestros primeros padres estaban inmersos en la belleza de la naturaleza. Una verde alfombra cubría la tierra. Flores multicolores perfumaban el aire, el cual era fresco y puro. Los árboles cargados de fruta se inclinaban mientras Adán y Eva la cosechaban. El entorno de nuestros primeros padres estaba diseñado para la salud y la felicidad. El aspecto y los sonidos del Edén calmaban los nervios e infundían una dulce paz. El Génesis, el primer libro de la Biblia, describe este mundo idílico: "Y Jehová Dios plantó un huerto en Edén, al oriente; y puso allí al hombre que había formado. Y Jehová Dios hizo nacer de la tierra todo árbol delicioso a la vista, y bueno para comer; también el árbol de vida en medio del huerto, y el árbol de la ciencia del bien y del mal" (Gén. 2:8, 9).

El libro *El ministerio de curación* describe cómo el tiempo pasado al aire libre puede promover la salud. "El aire puro, la alegre luz del sol, las flores y los árboles, los huertos y los viñedos, el ejercicio al aire libre, en medio de estas bellezas, favorecen la salud y la vida" (p. 201).

"Los médicos y los enfermeros deben animar a sus pacientes a pasar mucho tiempo al aire libre, que es el único remedio que necesitan muchos enfermos. Tiene un poder admirable para curar las enfermedades causadas por la agitación y los excesos de la vida moderna, que debilita y aniquila las fuerzas del cuerpo, la mente y el alma… Hay propiedades vivificantes en el bálsamo del pino, en la fragancia del cedro y del abeto, y otros árboles tienen también propiedades que restauran la salud" (*El ministerio de curación*, pp. 202, 203).

Por otra parte, respirar aire contaminado es un peligro para la vida. Nuestro entorno afecta nuestra salud; es restaurador o destructor de la salud. Cuanto más vivamos en armonía con el plan original de Dios, más saludables seremos. Pasar tiempo al aire libre hace una diferencia. Los nobles bosques, las flores hermosas, los árboles cubiertos de fruta con ricos tesoros, todos purifican el aire, imparten salud y energía. Las vistas y sonidos de la naturaleza son las bendiciones de Dios para nosotros. Dios las ha provisto para darle salud a nuestro cuerpo, mente y espíritu.

LA RESPIRACIÓN

Alguien dijo con acierto: "Puedes vivir semanas sin comida, días sin agua, pero solo minutos sin aire". Sin aire morimos. El aire es el elemento más necesario para la vida. Lo necesitamos para vivir. Probablemente estés pensando: "Eso no es un problema. Respirar en natural y automático. Ni siquiera tenemos que pensar acerca de eso, ¿o no?" Bueno, quizás no es tan sencillo. La mayoría de las personas tiene malos hábitos respiratorios. Otros respiran el aire contaminado por desechos industriales y humo de cigarrillos. Las personas que quieren ser saludables deberían estar atentas a lo que respiran y cómo respiran. Cuando obtenemos todo el oxígeno que necesitamos, tenemos nueva energía y una mejor calidad de vida. Respirar correctamente y llevar oxígeno a nuestros glóbulos rojos es, por supuesto, esencial para la vida, pero también energiza todo el ser. La Biblia dice: "La vida de la carne en la sangre está" (Levítico 17:11). La sangre bien oxigenada es un colaborador esencial de la buena salud. Inhalaciones completas y profundas de aire puro llenan de oxígeno nuestros pulmones. Pero la mayoría de nosotros no usa bien sus pulmones o en su capacidad máxima. Nuestra respiración es demasiado superficial. Aunque una medición técnica de "saturación de oxígeno" pueda sugerir que la cantidad de oxígeno en nuestra sangre es el adecuado, las investigaciones indican que los beneficios de la respiración profunda trascienden las simples mediciones.

BENEFICIOS DE LA RESPIRACIÓN PROFUNDA DE AIRE PURO

· Beneficia la memoria.
· Incrementa la energía.
· Contribuye a equilibrar el sistema nervioso.
· Su sonido revigoriza el sueño.

A todos nos gustaría despertarnos revitalizados, llenos de energía, listos para las actividades del día. Entonces puedes experimentar cada uno de estos beneficios aprendiendo a respirar correctamente. El ejercicio de respiración te ayudará a comenzar a recibir esos beneficios.

EJERCICIO DE RESPIRACIÓN

Párate derecho. Pon las manos en la cintura. Inhala por la nariz y exhala lentamente por la boca. Inhala todo lo que puedas y llena tus pulmones de aire. Llena tus pulmones a su máxima capacidad cada vez, y exhala lentamente. Haz este ejercicio muchas veces cada día, y estarás más relajado y menos tenso.

¿Por qué deberías inhalar a través de la nariz y exhalar a través de la boca? Inhalar a través de la nariz es importante. La nariz actúa como un filtro. Y las membranas nasales le agregan una tibia humedad al aire filtrado. Estos beneficios no se obtienen cuando respiras por la boca.

RESPIRA AIRE FRESCO: ABRE LAS VENTANAS

Vivas donde vivas, mantén circulando el aire de tu casa. Con la excepción de los días con alto nivel de polución en el aire, resiste la tentación de cerrar todas las ventanas de tu hogar. Aunque las boletas de aire acondicionado y calefacción puedan ser un poco más altas, mantén al menos una ventana en la habitación parcialmente abierta para asegurar la circulación del aire fresco durante el día y la noche. No cierres las ventanas herméticamente.

El aire fresco es benéfico para todos nosotros, pero especialmente si estamos enfermos. Elena G. de White hace esta observación y da este consejo: "Muchas casas carecen de facilidades para la debida ventilación, y resulta difícil conseguirla; pero hay que arreglárselas de modo que día y noche fluya el aire puro por la habitación" (*El ministerio de curación*, p. 168).

FORMAS DE RODEARTE DE AIRE FRESCO

1. Haz ejercicio. Con frecuencia, camina enérgicamente al aire libre. Camina en el exterior tan frecuentemente como puedas.

2. Practica la respiración profunda hasta que se convierta en un hábito.

3. Orea las sábanas, las colchas y la ropa.

4. Mantén una ventilación adecuada.

Benefíciate con las ventajas del aire fresco y puro. Utilízalo sabiamente, y experimentarás un nuevo nivel de energía. Camina bajo los hermosos rayos del sol. Respira profundo usando los músculos abdominales. Esto aumentará tu energía y eficiencia. Te sentirás más joven.

La luz solar

Las primeras palabras de Dios en la semana de la creación fueron: "Sea la luz" (Gén. 1:3). La luz fue el punto de comienzo de la creación de Dios. Durante la semana de la creación, Dios preparó la tierra para la llegada de nuestros primeros padres, proveyendo todo lo necesario para su salud y felicidad. La luz es indispensable para la vida. La salud óptima depende de obtener suficiente luz solar. Nos hemos acostumbrado tanto al sol que quizás nos olvidamos cuanto le debemos a sus propiedades restauradoras de la salud. Desafortunadamente, durante las últimas décadas, hemos dejado cada vez más la luz del sol fuera de nuestras vidas. Podemos comer alimentos de alta calidad y hacer mucho ejercicio, pero sin suficiente luz solar no tendremos una salud total.

¿Pasas tiempo diariamente a la luz del sol? La intención de Dios era que vivieras con mucha luz del sol. Un poco de aire fresco y luz del sol todos los días es factor de salud. Fuimos creados para pasar tiempo en el exterior. Es también vital abrir las persianas y ventanas e iluminar y ventilar la casa para dejar pasar abundantes cantidades de vida.

BENEFICIOS DE LA LUZ SOLAR

Extermina gérmenes. En los últimos años del siglo XIX, los investigadores médicos se dieron cuenta de los beneficios de la luz solar para la salud. En 1877, dos científicos británicos, W. Hugo Downes y Thomas Blunt, descubrieron que la luz del sol mata las bacterias. Estos investigadores habían sembrado bacterias en un medio de cultivo en varios tubos de ensayo. Fue por accidente que algunos de estos tubos estuvieron expuestos a la luz solar. La bacteria creció en los tubos a la sombra, pero no en aquellos expuestos a la luz solar. Investigaciones más profundas revelaron que la conclusión de Downes y Blunt era correcta: la luz solar inhibe el crecimiento de las bacterias.

Mejora el sistema inmunológico. Si obtienes la dosis diaria de luz solar mejorará tu sistema inmunológico. Al hacerlo, aumenta el número de glóbulos blancos en la sangre, y su efectividad. La abundante exposición al aire fresco y la luz del sol son bendiciones de Dios y, en muchos casos, nos imparten fuerza y vitalidad. La exposición a la luz del sol es una forma natural de restaurar la salud.

Calma los nervios. Tu sistema nervioso responde favorablemente a la luz del sol. Si quieres comenzar bien el día, levántate a tiempo para ver el amanecer. Tal vez nada sea tan bello como ver la oscuridad desaparecer y dar paso al nuevo día. La luz solar mejora el estado de ánimo de la mayoría de las personas, pues incrementa la producción de endorfinas y serotonina del cerebro. Alguien llamó a la luz solar "la píldora de la felicidad". Probablemente has experimentado esto luego de pasar algunas horas en la playa o trabajando en el jardín, y te sientes mucho más feliz, más relajado y descansado.

Incrementa las endorfinas que el cerebro fabrica e imparte una sensación de bienestar.

Ayuda a la digestión. Otro beneficio de la luz solar es que estimula el apetito y mejora la digestión, la eliminación y el metabolismo. Cuando salgas al exterior, camina erguido y echa los hombros hacia atrás. Así eliminarás el estrés, y tu sistema digestivo se beneficiará.

Produce vitamina D. La vitamina D es esencial para la formación, el crecimiento y la reparación de los huesos, y para una absorción normal del calcio. Se obtiene principalmente por medio de la exposición de la piel a la radiación ultravioleta del sol. Tanto los ancianos como los niños requieren grandes cantidades de luz solar. La *Revista Estadounidense de Nutrición Clínica* de diciembre de 1987 observa: "Cuanto más luz solar toman los ancianos, menos probabilidad hay de que tengan roturas de cadera".

En cantidades suficientes otorga un resplandor saludable de belleza natural a la piel. Una ventaja de la luz solar es que mejora el aspecto de la piel. Pero la sobreexposición a la luz solar puede resultar en quemaduras, daños a la piel y mayor riesgo de cáncer de piel.

Ayuda a disminuir el colesterol. La exposición prudente al sol puede ayudar a rebajar el colesterol de manera natural.

Es uno de los grandes inductores del sueño, especialmente cuando lo combinas con ejercicio físico. La luz solar actúa como un "ecualizador del sistema nervioso". Mientras puede ayudar a los estresados a relajarse, la luz solar puede levantar el ánimo de aquellos que luchan contra la laxitud. Si te sientes fatigado o perezoso, sal a caminar al aire libre y bajo la luz del sol. Esto te energizará. La cantidad suficiente de luz solar es uno de los grandes remedios de Dios para la curación.

Mientras que es muy importante obtener suficiente luz solar, demasiada puede ser dañino. Obtén la luz solar en pequeñas dosis. Para muchos tipos de piel pálida, veinte minutos de exposición diaria será suficiente para obtener cantidades suficientes de vitamina D. En otras palabras, veinte minutos bajo la luz solar al día reforzará tu energía, mejorará el aspecto de tu piel y de tu sistema inmunológico. No obstante, las personas de piel más oscura pueden necesitar más luz solar mientras que aquellos con piel muy blanca pueden encontrar veinte minutos excesivo, especialmente al mediodía. Cualesquiera sean tus necesidades diarias, no te niegues los beneficios de cantidades apropiadas de luz solar. Para eso fue creada. Concluimos que la luz solar es una de las grandes bendiciones de Dios.

El descanso

El descanso rejuvenece y reconstituye el organismo. Refresca la mente y levanta el espíritu. El descanso nos permite funcionar a nuestra máxima capacidad. Necesitamos una buena noche de sueño diario y un día de descanso a la semana. Esta es la razón por la que nuestro Creador nos dio el séptimo día, el sábado. El sueño y el descanso adecuado es otro de los remedios naturales de Dios para la buena salud. Todos anhelamos obtener el sueño profundo y relajante, esencial para la buena salud.

DORMIR SUFICIENTE PROPORCIONA MUCHOS BENEFICIOS

Reduce el riesgo de enfermedades. Quedarse despierto tarde por la noche debilita el sistema inmunológico e incrementa el riesgo de padecer dolencias y enfermedades. Algunos estudios indican una relación entre la presión arterial alta, el colesterol alto, y la falta de sueño. El hábito de ir a la cama temprano ayuda a controlar y mantener en buen nivel la presión arterial.

Reduce el estrés. Un aumento del estrés conduce a muchos problemas de salud, como cardiopatías y el derrame cerebral. El sueño es una de las formas naturales con las que el estrés puede ser reducido. El sueño puede reparar el daño físico y mental causado por el estrés excesivo.

Mejora la memoria. Ir a la cama temprano y dormir lo suficiente ayuda a la mente a organizar la información almacenada para que sea fácilmente recuperada más tarde.

Mejora la calidad de vida. El sueño mejora la calidad de vida y nos ayuda a hallar gozo en nuestras labores diarias.

Incrementa los niveles de energía. Un sueño profundo y de calidad nos energiza. Al día siguiente nos sentimos revitalizados.

Mantiene el peso. La privación de sueño es un importante colaborador de la obesidad. Parece que se debe a un aumento en el estrés y en las hormonas inflamatorias. Irónicamente, otros cambios en el estilo de vida y en el metabolismo pueden llevar a las personas con problemas crónicos del sueño a tener dificultades con la pérdida de peso. Estos problemas se pueden prevenir. Obtener una buena noche de sueño puede ayudarnos a mantener el peso ideal.

Reduce la depresión. El sueño insuficiente es factor de riesgo para la depresión. Muchas personas que sufren depresión también sienten fatiga por falta de sueño. Para muchas personas, dormir durante toda la noche no es un problema. Pero para millones de personas, obtener las horas suficientes de sueño es difícil e irregular. Algunas personas apenas obtienen algo de descanso. Muchos duermen inquietos. Millones dependen de tranquilizantes, pastillas para dormir, y hasta de

alcohol para obtener una buena noche de descanso. Muchos se despiertan sintiéndose como si no hubieran dormido. La falta de descanso nocturno contribuye a la confusión física, mental y emocional.

SUGERENCIAS PARA LOGRAR UN BUEN DESCANSO

1. **Establece un horario regular.** Trata de tener un horario para dormir, y procura levantarte a la misma hora cada mañana.

2. **Establece horarios regulares para comer.** Trata de comer en el mismo horario cada día. Come algo ligero por la noche. Muchas personas han descubierto que terminar su última comida diaria por lo menos cuatro horas antes de irse a la cama, los ayuda a dormir mucho mejor. El estómago lleno interfiere con el sueño, y el sueño interfiere con la digestión. Este es un camino bidireccional hacia el cansancio.

3. **Toma una siesta.** Toma pequeños recreos durante el día y descansa totalmente durante diez minutos. Elonga. Aunque no hay tantas investigaciones al respecto, varios expertos dicen que hay una conexión entre dormir una siesta y la longevidad.

4. **Incrementa tu plan de ejercicio.** El ejercicio calma los nervios, relaja los músculos y descansa la mente.

5. **Asegúrate de ventilar bien tu habitación, y obtén mucho aire fresco y luz solar.** Es importante que tu habitación no esté demasiado caliente, sofocante o llena de aire viejo y poco saludable. Ya hemos explorado la conexión entre el aire fresco, la luz solar y la relajación-¡así que no minimices estas ayudas naturales para dormir!

6. **Toma un té de hierbas relajante.** No tomes alcohol. Aunque puede ayudarte a dormir, el sueño inducido por el alcohol no es natural y es menos restaurador. Los científicos del sueño atribuyen esto a la deficiencia que produce el alcohol en una "arquitectura del sueño" óptima.

7. **Evita estimulantes como la cafeína y la nicotina.**

8. **Toma un baño caliente para relajarte.** El agua es el maravilloso relajante que Dios nos dio para calmar los nervios.

9. **Mantén tu habitación oscura y silenciosa.** Demasiado ruido y mucha luz interferirá con el sueño profundo.

10. **Concédete por lo menos media hora de relajación antes de irte a la cama.** Si eres una persona extremadamente ocupada, este será un paso difícil de lograr consistentemente. Mi esposo siempre me lo recuerda. Tiendo a trabajar hasta el horario de dormir, pero estoy tratando de mejorar. Trato de olvidarme de los proyectos en los que estuve trabajando durante el día, tomo un baño relajante, luego me distiendo leyendo la Biblia en preparación para una buena noche de descanso.

11. **Acuéstate temprano.** Dormir antes de la medianoche es más provechoso que dormir después de la medianoche. Dios creó la oscuridad para el descanso. Estoy segura de que has escuchado el viejo dicho: "Acostarse temprano y levantarse temprano hace al hombre saludable, rico, y sabio". Los horarios irregulares y las actividades periódicas muy entrada la noche, son especialmente dañinas para la salud.

12. **Confía en Dios; ora.** Si no puedes dormir en el medio de la noche, pídele al Creador que te dé su paz. Recuerda que el Señor promote darnos sueño. El salmista dice: "A su amado dará Dios el sueño" (Salmo 127:2). Acepta la invitación de Jesús: "Venid a mí todos los que estáis trabajados y cargados, y yo os haré descansar" (S. Mateo 11:28). Descansa en el amor y cuidado de Jesús, y dormirás mejor. Una mente libre de preocupaciones conciliará un sueño profundo y restaurador. El acto de depositar tu confianza en un Dios amante es la manera más segura de disfrutar del descanso y el sueño perfecto. Tú también puedes tener esta perfecta paz al final de cada día, y mejorar la posibilidad de obtener el descanso que necesitas.

EJERCICIO

LUZ SOLAR

AMOR

AGUA

NUTRICIÓN

MEDIO AMBIENTE

ESTILO DE VIDA

DESCANSO

Estos ocho Secretos para un estilo de vida natural no son complicados patrones para la salud. No son recetas caras o tratamientos médicos complejos. Son principios universales probados para la longevidad. En la investigación sobre la gente más longeva del mundo que dio origen a su éxito de librería "Las zonas azules" (*The Blue Zones*), Dan Buettner descubrió que la gente que más vive sigue los principios que hemos delineado. Alcanzan un nivel de bienestar por encima de la media porque han vivido en armonía con las leyes de la salud. Cuando pongas en práctica estos ocho secretos para un estilo de vida natural, tú también obtendrás las recompensas. Empezarás a notar la diferencia. Nuestro Creador desea que tengamos buena salud y disfrutemos la vida al máximo. El vivir en armonía con sus leyes nos da la gran posibilidad de experimentar la vida abundante que nos ha prometido. A medida que incorpores estos principios en tu vida, te irás maravillando de sus beneficios.

Y yo, junto con Juan, el escritor bíblico, deseo sobre todas las cosas que prosperes y tengas salud (ver. 3 Juan 2).

Índice